A: *annisgwyl*

STRAEON BYRION

Cyhoeddwyd yn 2021 gan
Wasg y Bwthyn
ISBN 978-1-913996-37-6
Hawlfraint
Cyhoeddwyd
gyda chymorth ariannol
Cyngor Llyfrau Cymru.

Mae unrhyw debygrwydd i bersonau go iawn yn hollol fwriadol er bod tipyn o ystumio wedi bod ar y gwirionedd.

— Gareth W. Williams

A: *annisgwyl*

Cyfrol o straeon byrion

gan

Gareth W. Williams

bwthyn
GWASG Y BWTHYN

Cydnabyddiaeth i:

'Hen Grystyn' – Diolch i
William Peter Blatty
am yr egin o syniad.

'Tosh' – Diolch i
Navinder Sarao,
'The Hound of Hounslow',
am yr ysbrydoliaeth.

Diolch hefyd i:
Clwyd Jones
Ann Lewis
a Paul Moorcraft

Cyflwyniad:

i Pat

CYNNWYS

A: annisgwyl

A: *annisgwyl*

JERRY

ROEDD Jerry, neu Jeremeia i roi ei enw llawn iddo, wedi dod yn dipyn o seléb yn y swyddfa, a phawb a ddôi i mewn am ddweud gair neu ddau wrtho pan aent heibio at ddesg Sarjant Amos. Eisteddai ar ei bolyn yn y cawell yn troi ei lygad at y sawl a fyddai'n mynnu ei sylw, ac yn amlach na pheidio'n ymateb yn ufudd i unrhyw air y câi ei gymell i'w ddweud gan ddynwared acen a llais y siaradwr yn berffaith. Macaw oedd Jerry: ei gefn, ei adenydd a'i gynffon hir yn las llachar, gwasgod felen danbaid am ei frest a sblashed o wyrdd yn gap. Roedd yn aderyn nobl iawn. Fasech chi ddim yn dweud ei fod o'n hardd fel y cyfryw; byddai trawiadol yn well disgrifiad ohono gyda'i wyneb gwyn, ei big fawr grwca a dwy lygad yn pefrio yn ei ben.

'Faswn i'n taeru bod y diawl yn dallt bob gair dw i'n ddweud,' meddai un o'r plismyn un diwrnod gan blygu wrth y cawell a'i drwyn braidd yn agos i'r barrau. Roedd Jerry wedi troi ei ben yn y ffordd ddeallus yna oedd yn nodweddiadol ohono. 'Diawl, diawl, diawl yn dallt!' meddai, gan ddynwared acen y plismon o'r Bala i'r dim. A'r chwerthiniad bach, direidus yna oedd bob amser yn dilyn.

Roedd Jerry, fel mae plant bach, yn dueddol o ganolbwyntio ar ddynwared geiriau drwg ac fel petai'n ymhyfrydu mewn rhegfeydd. Cafodd sawl ymwelydd gyngor am 'ble i fynd i genhedlu' wrth ddod trwy ddrws yr ystafell.

'Faswn i ddim yn mynd yn rhy agos ato fe,' cynghorodd Sarjant Amos.

'Pam?' holodd y plismon.

'Dyn wyt ti.'

'Be s'gen hynny i wneud â'r peth?'

'Ma fe'n iawn 'da menywod. So fe'n lico dynion. Mrs Emanuel wnaeth ei fagu e ers oedd e'n gyw bach. Mae pob menyw yn OK ond mae dynion yn fygythiad.'

'O,' meddai'r plismon a thynnu'i drwyn yn ôl o gyrraedd y grafanc o big.

Wedi etifeddu'r aderyn roedd Wil Amos, gan mai fe oedd wedi bod yn gyfrifol am yr achos yn y llys. Y bwriad oedd ei drosglwyddo i gartref parotiaid, ond doedd dim sôn am fan y cwmni ac roedd hi'n wythnos ers iddo gysylltu â nhw. Ond roedd Jerry yn ddigon hapus yn ei gawell ac fel petai'n mwynhau'r sylw a gâi gan bob ymwelydd, er ei fod yn edrych yn go sinigaidd ar unrhyw un a fentrai: 'Who's a pretty boy then?'

Byddai symud i annedd lle'r oedd parotiaid eraill yn dipyn o sioc iddo. Roedd Sarjant Amos wedi dod i'r casgliad bod Jerry yn ystyried ei hun yn un o'r ddynol ryw, yn bennaf am mai dim ond pobol a welodd yn ei fyd bach e erioed, a hefyd oherwydd ei feistrolaeth ar ddynwared. Byddai cwrdd â bodau o'r hil ornitholegol yn siŵr o fod yn dipyn o ysgytwad.

Roedd Jerry wedi dygymod â'i amgylchfyd newydd prysur. Derbyniai gyflenwad cyson o fwyd a dŵr. Mentrodd y sarjant ei ddenu o'i gawell un tro wedi cau'r ffenestri i gyd rhag ofn, ond nid oedd dim yn tycio. Mynnai Jerry aros yn ei gell.

Roedd Jessica, plismones ifanc, yn hoff iawn o'r aderyn ac yn taro i mewn i'w weld yn feunyddiol a Jerry yn amlwg yn falch o'i gweld hithau. Fel arfer byddai ganddi gnau neu ddarn o afal i'w demtio.

'Agor y drws i weld os daw e mas i ti,' meddai Sarjant Amos un diwrnod. 'So fi'n lico ei weld e'n styc yn y caij 'na trwy'r amser. Oe'n nhw'n dweud bo' fe'n mynd 'nôl yn ddigon hawdd wedi sbin bant.'

Agorodd Jessica'r drws a neidiodd Jerry'n ddigon heini ar ei braich cyn hedfan rownd yr ystafell rhyw ddwywaith a glanio ar ei hysgwydd fel parot Long John Silver. Cynigiodd y sarjant ei law iddo i weld a fyddai rhyw lygedyn o gyfeillgarwch yn gallu datblygu rhyngddynt. Fel fflach pwysodd Jerry ymlaen a brathu ei fys yn galed nes tynnu gwaed. 'Diawl bach!' meddai'r sarjant.

'Diawl bach, diawl bach, diawl bach!' meddai Jerry – llais Wil Amos yn berffaith ganddo – gan sefyll yno'n dalog ar ysgwydd Jessica yn rowlio'i ysgwyddau'n ymffrostgar.

'Rho'r diawl yn ôl yn ei gell, Jessica!' meddai'r sarjant.

'Diawl yn ei gell,' meddai Jerry.

Cododd hithau'r aderyn ar ei llaw a'i osod yn ôl yn y cawell yn ddiffwdan.

Byddai Wil Amos yn ddigon balch o osod y cwrlid dros y cawell cyn gadael heno ar ôl y brathiad yna. Bron yn ddieithriad ar ôl rhoi gorchudd dros yr aderyn clywai lais benywaidd Laura Emanuel: 'Cer i grafu'r bastard!' A byddai'n gwenu wrth glywed y cyfarchiad cyn cau'r drws ar ddiwedd y diwrnod.

Bu Jerry yn dipyn o seren yn ystod yr achos llys. Achos eitha trist, a dweud y gwir; un a gafodd gryn sylw ar y cyfryngau. Roedd pawb yn argyhoeddedig bod y rheithgor wedi dod i'r casgliad cywir sef fod Geraint Emanuel wedi llofruddio ei wraig Laura, a phob un yn falch nad oedd plant yn y briodas gythryblus hon i fod yn gwmwl arall i'r tristwch. Yn ystod yr achos clywyd bod yr aderyn wedi bod fel plentyn maeth iddi, gan hawlio tipyn mwy o gariad a sylw nag a roddai hi i'w gŵr. Darganfuwyd hi gan yr heddlu ar lawr y lolfa, wedi gwaedu i farwolaeth cyn i'r parafeddygon gyrraedd. Ar y llawr wrth ei hochr roedd y gyllell fara. Ei gŵr oedd wedi deialu 999 gan honni mai damwain oedd wedi digwydd yn sgil ffrae. Anghytunodd y rheithgor. Doedd neb yn amau nad oedd ffrae wedi bod. Doedd neb yn amau chwaith nad oedd Laura Emanuel yn fenyw od iawn ac yn hynod anodd byw gyda hi a chyflwr ei meddwl yn hynod anwadal. Serch hynny roedd pawb yn argyhoeddedig mai wedi colli ei dymer yr oedd Geraint ei gŵr, a'i thrywanu mewn dicter. Ei honiad e oedd mai hi oedd wedi ei fygwth â'r gyllell a bod y trywanu wedi digwydd wrth iddo ymaflyd ynddi i geisio rhwygo'r gyllell o'i llaw.

Bu'r ddau fargyfreithiwr yn dadlau cryn dipyn yn ôl a blaen, ac ailgrëwyd yr ymaflyd a fu rhwng y cwpwl ar lawr y llys hyd yn oed. Ond y 'clinshar' i'r rheithgor oedd Jerry. Tystiodd Sarjant Amos yn y llys iddo glywed yr aderyn yn sgrechian yn groch, 'Rho'r gyllell i lawr, rho'r gyllell i lawr!', yn fuan wedi iddyn nhw gyrraedd lleoliad y gyflafan, a bod llais y parot yn bendant yn dynwared llais menyw. Bu tipyn o dynnu coes pan gyrhaeddodd y sarjant yn ôl i'r swyddfa gyda'r aderyn yn y cawell ar ôl ymweld â lleoliad y drosedd. 'Witness Protection?' holodd un wag.

Daethpwyd â Jerry i'r llys yn llawn rhodres. Roedd fel petai'n mwynhau'r llwyfan newydd hwn, yn swagran ar ei glwydfan. Anogwyd ef i yngan y geiriau allweddol gan un o swyddogion y llys (i fod yn ddiduedd) a daeth y geiriau 'rho'r gyllell i lawr, rho'r gyllell i lawr' o'i safn. Tystiai pawb oedd yn ei hadnabod mai llais ac acen ddeheuol Laura Emanuel a glywsant, yn bendant.

'Mae cynneddf yr aderyn i ddynwared yn ei wneud fel recordydd tâp yn gofnod byw o'r digwyddiad,' meddai Selwyn Hughes y bargyfreithiwr.

Cafwyd tystiolaeth gan arbenigwr adar trofannol i gadarnhau mai dynwared yn unig a wnâi adar a bod llais Laura Emanuel yn debygol o fod yn gyson â digwyddiadau yn y fflat. Ychwanegodd nad oedd dim sylwedd yn ynganiadau adar ac mai dim ond empathi sylfaenol y gallen nhw ei deimlo.

A dyna ni: Geraint Emanuel yn euog o lofruddiaeth. Diwrnod da o waith, meddyliodd Sarjant Wil Amos ar ddiwedd yr achos.

Roedd galwad wedi dod oddi wrth yr elusen gwarchod parotiaid; bydden nhw yno yn y bore i fynd â Jerry i'w gartref newydd, cymharol rydd. Diolch byth, meddyliodd y sarjant wrth roi'r gorchudd dros y cawell er mwyn i Jerry fynd i glwydo. Fferrodd pan glywodd lais o'r tu ôl i'r gorchudd, mor glir â'r dyn ei hun – Geraint Emanuel yn sgrechian – 'Rho'r gyllell i lawr, Laura,' â'i acen Sir Ddinbych yn amlwg. Daeth y chwerthiniad bach yna wedyn.

CADAIR IDRIS

T AFARN wledig rhyw bum milltir o'r dre oedd ac ydy'r Crown. Ces i job yno'n gweithio tu ôl i'r bar yn ystod gwyliau'r haf tra o'n i'n fyfyriwr. Doedd hi ddim yn rhy bell i yrru yno. Pobol leol fyddai yno gan mwyaf yn ystod y gaeaf ond dôi cryn dipyn o ymwelwyr yno yn ystod yr haf i fwynhau'r cwrw, yr hedd a'r olygfa o'r afon dros y dibyn islaw. Roedd Les y tafarnwr, a'i wraig Edith, cwpwl o Wrecsam yn wreiddiol, yn gadael pethau i mi tan iddi brysuro tua'r hwyr yn y bar. Roeddwn i'n dechrau am chwech ac mi fyddai hi'n ddigon tawel tan tua wyth o'r gloch. Tua saith o'r gloch y daeth o i mewn.

Welais i mono fo am y pythefnos cyntaf roeddwn i'n gweithio yno, ond gwyddwn am ei fodolaeth gan fod plât bychan o bres wedi ei osod yn y bar gyferbyn â'i sedd arferol. Roedd honno'n un ddigon anghyfforddus yn fy marn i, wedi ei haddasu o hen sedd tractor ar ben hen echel i wneud stôl bar. Ar y plât roedd y geiriau 'CADAIR IDRIS' a phrin y byddai neb yn eistedd ar y stôl. Wyddwn i ddim ai o barch i'r un oedd yn hawlio'r lle roedd hynny neu achos fod y stôl mor gythreulig o boenus i aros arni'n hir.

Heblaw am gwpwl ifanc oedd yn eistedd ar y soffa ger y lle tân, roedd y bar yn wag pan welais i o'r tro hwnnw: dyn bychan o gorffolaeth a'i gefn braidd yn grwm yn hercian trwy'r drws yn ei gap a'i oferôls budur a phlannu ei hun ar y stôl. Roedd ei wyneb rhychiog yn frowngoch heblaw am siâp gogls oedd yn hollol wyn rownd ei lygaid. 'Peint o hwnna, plis,' meddai, ei lygaid yn edrych yn syth ata i gan gyfeirio at bwmp y cwrw gorau. Gwyliodd fi'n ofalus yn tynnu'r cwrw melyn o'r pwmp. Cyflwynais y gwydr iddo wedyn. Cododd yntau'r gwydr i archwilio ansawdd y cynnwys cyn ei godi at ei wefusau a llyncu'r cyfan mewn un sloch hir. Rhoddodd y gwydr yn ôl ar y bar wedyn a sychu'r ewyn o'i safn.

'Dyna welliant,' meddai. 'Well i mi gael un arall. Dala i wedyn,' ychwanegodd. Ufuddheais.

'Pedwar swllt, plis,' medde fi.

Aeth yntau i boced ei oferôls i nôl ei arian a thynnu rholyn sylweddol o bapurau pumpunt ohoni. Ymbalfalodd yn y boced wedyn a thynnu dau hanner coron allan a'u cynnig i mi. Rhoddodd y rholyn yn ôl yn ei boced. Wrth iddo dderbyn ei swllt o newid sylwais ar ei law oedd yn arbennig o rymus i ddyn mor fychan. Roedd ôl gwaith blynyddoedd arni a thipyn o ôl llafur y diwrnod hwnnw hefyd, gyda staen olew yn ddu ar ei chefn.

'Mecanic?' holais i.

'Rhywbeth felly,' atebodd yntau'n ddigon swta gan astudio ewyn ei ail beint oedd wedi cael cyfle i aros tipyn yn hwy ar y bar y tro hwn.

'Ceir?' holais i wedyn, yn ceisio cynnal trafodaeth fel sy'n ddisgwyliedig gan bob barman gwerth ei halen.

'Moto-beics,' meddai. 'Ti'n gwbod rhywbeth am foto-beics?'

'Roedd 'yn yncl i'n arfer rasio nhw.'

'Be oedd ei enw fo?'

'Tomi Mac oedden nhw'n ei alw fo.'

Daeth goleuni sydyn i'w lygaid. 'Yn ei nabod o'n iawn. Yfflon o foi da. Ariel oedd gynno fo. Matchless oedd gen i. Mi ddaethon ni'n go agos ar yr Eil o Man un tro ond doedden ni ddim patsh ar Geoff Duke, Malcolm Uphill a'u tebyg ar eu Nortons a'u Gileras.' Roedd tân wedi ei gynnau rywle yn ei ymennydd a llifeiriodd yr atgofion wedyn. Edrychai'n graff ar ewyn ei beint fel petai drych i'r gorffennol ynddo.

'Mi oedd hi'n ddwrnod crasboeth yn Oulton Park, dw i'n cofio,' dechreuodd. 'Mi oeddwn i a Tomi yno a'r ddau ohonon ni wedi preimio'n beics i'r dim ...' ychwanegodd wrth i'r hanes lifo'n ffri. Bobol, mi oedd gan hwn ddawn y cyfarwydd i gyfareddu ac aeth â fi rownd pob cornel ar y trac a minnau'n cordeddu dros y tarmac yn gwyro o un ochr i'r llall gydag o. Clywais am bob gornest bersonol yn y ras; teimlais yr her a chefais flas o'r ofn. 'Roedd Tomi a fi ar y blaen ac mi allwn i deimlo gwynt Geoff Duke y tu ôl i ni.' Roeddwn i wedi fy swyno a mynnwn bob CC o bŵer i'r beic oddi tanom, ond peidiodd y llifeiriant yn sydyn.

'Enilloch chi?' holais i'n ddiamynedd.

'Naddo. Mi basiodd y diawl ni ar y gornel ola ac mi oedden ni'n edrych ar ei egsôst o dros y lein. Ond mi oedden ni'n agos. Fi'n ail a Tomi'n drydydd. Bobol, dyna be oedd ras!' meddai a chymryd llwnc o'i beint.

Clywais ddrws ffrynt y dafarn yn agor. Roedd y tîm darts ar ei ffordd i mewn i'r ystafell gefn. Ymddiheurais a gadael i fynd rownd y gornel at y bar arall. Dim ond Glyn oedd wedi cyrraedd. Roeddwn i wedi dod i'w nabod o'n go lew. Tra o'n i'n tynnu ei beint holais, 'Ti'n nabod Idris?'

'Idris Beics?'

'Ia.'

'Yfflon o foi clên, rêl storïwr.'

'Ia, dene fo.'

'Mi oedd o'n medru trwsio unrhyw beth: ceir, tractors, ond beics oedd ei bethe fo. Fo weldiodd y sêt 'ne wrth y bar drws nesa. Mi oedd o'n dipyn o foi rasio yn ei ddydd.'

'Be ti'n feddwl "oedd"?' holais i.

'Ddarllenest ti mo'r hanes yn y *Daily Post* rhyw ddau fis yn ôl? Ar ei feic gafodd o ei ladd. Mi aeth o dros y wal i'r afon yn fan acw ar ei ffordd adre. Wedi meddwi'n dwll. Biti garw. Mi oedd o wedi gwerthu'i hen feic rasio a'r pres yn llosgi yn ei boced o, am wn i. Wedi mynd i ddyled, glywes i.'

'O,' medde fi.

'Ti'n olreit?' holodd Glyn oedd yn amlwg wedi sylwi arna i'n gwelwi ac yn anadlu'n drymach.

'Ydw,' medde fi a throi yn ôl i'r bar arall. Roedd yr ystafell yn wag ond roedd gwydr Idris yn dal ar y cownter gyda'r ewyn yn slefrian i lawr yr ymyl. Clywais sŵn moto-beic yn tanio a'r rhu'n pylu yn y pellter wedyn.

HEN GRYSTYN

FUES i erioed yn ffan mawr o bregethwrs, yn arbennig yn fy arddegau. Roedd hyn yn deillio o'r ffaith y byddai Mam yn croesawu gweinidog i'n tŷ ni i ginio bob yn ail fis gan fod fy nhad yn flaenor yn y capel. Roedden nhw bron yn ddieithriad yn llawn gwynt a rhodres, yn gallu dweud lot a dweud dim, yn fy marn i. Roedd sawl un yn ymddwyn fel brenin, yn rhannol am ei fod yn cael ei drin fel brenin gan Mam. Roeddwn i bob amser yn meddwl, sut un ydy hwn ar ei aelwyd ei hun, sgwn i? Rheswm arall oedd i mi orfod gwrando arnyn nhw'n peroriaethu ymhellach yn yr oedfa tra eisteddwn ar feinciau caled y capel. Roedden nhw'n gwasgu pob diferyn allan o linell yn yr efengyl ac yn dod i ryw gasgliad hynod sigledig am gyflwr dynoliaeth, wedi dadansoddi ystyr neu isystyr mewn ambell air, a throelli'r un syniad drosodd a throsodd a'i fynegi mewn amryw ffyrdd ar eu trywydd troellog at bwynt y bregeth. Yn bendant, i fachgen tair ar ddeg oed ar ddechrau chwedegau'r ganrif ddiwethaf, doedden nhw ddim yn ddigon 'roc a rôl' i mi.

Roedd un gweinidog ymddeoledig oedrannus yn ein capel ni. Hen Grystyn oedden ni'n ei alw fo, yn benodol am ei fod o'n arbennig o sych a dihiwmor ei natur. Tybid ei fod o dros ei naw deg ond wyddai neb yn iawn. Byddai yno ym mhob oedfa yn porthi gydag 'Amen' neu 'Haleliwia' yn dolefu o'i enau bob tro y cyrhaeddai pregethwr yr wythnos honno un o'r troadau arwyddocaol yn ei bregeth, neu pan fyddai uchafbwynt o daerineb yn digwydd mewn gweddi. Roedd yn arbennig o hoff o fynnu bod gweddill y gynulleidfa'n ymuno ag ef yn ei afiaith i ailganu cytgan emyn i barhau gwewyr yr emosiwn. Roedd yn dipyn o ddifyrrwch i ni bobol ifanc. Roedd un pwynt am bob 'Ie' neu 'Hmm', dau am 'Amen' a phump am 'Haleliwia' neu unrhyw sylw annisgwyl a wnâi, ac roedd bonws o ddeg am bob estyniad a wnâi i emyn. Byddem yn cymharu ein sgôr ar ddiwedd yr oedfa. Roedd yn rhywbeth i'w wneud, heblaw am sugno losin, i gadw pwyll trwy'r diflastod.

Rhaid bod fforest o goed wedi ei dymchwel i harddu ein capel ni – ar gyfer pren y meinciau, y pwlpid, y sêt fawr a'r paneli niferus oedd o amgylch yr organ, y galeri, ac yn gefndir i'r sêt fawr a'r pwlpid. Roedd y cyfan yn sglein a graen y pren yn dangos drwodd gan gordeddu a llifo'n drawiadol i lawr pob panel. Gellid gweld siapiau, lluniau a wynebau yn y pren. Roedd hi'n syndod beth allai bachgen ifanc ei weld ynddyn nhw pan fyddai ei ymennydd yn crwydro ymhell a'i ddychymyg yn gorweithio i osgoi diflastod y pregethwr.

Roedd un panel o ddiddordeb arbennig i mi, lle roedd graen y pren yn cordeddu ar ffurf wyneb, a hwnnw'n un hynod o ddieflig yn fy marn i. Roedd dwy gainc yn y pren a'r rheini fel dwy lygad yn pefrio fel rhai gwallgofddyn ar y gynulleidfa o banel wrth ochr y pwlpid. Roedd y graen yn rhoi syniad o drwyn main, cam a chylch perffaith o bren tywyllach yn ffurfio ceg a thipyn o farf oddi tani. Roedd y graen o'i gwmpas yn rhedeg yn eithaf syth i lawr ar hyd y panel gyda bwlch yn y canol, ac edrychai'r wyneb hyll fel petai'n ymwthio trwy lwyn o goed trwy'r plygiadau. Tybiwn y byddai'r wyneb yn mynd yn ôl i gilfach ddirgel y tu ôl i'r llwyn wedi i bawb ymadael. Efallai mai'r dychymyg yn chwarae triciau oedd yn achosi i mi feddwl bod yr wyneb hwn yn newid o bryd i'w gilydd, gyda'r surni yn ei wep yn troi'n hanner crechwen.

Roedden ni blant yn ein harddegau yn sylwi ar fwy nag roedd oedolion yn ei feddwl, a byddai unrhyw sgandal yn hollol wybyddus i ni er na fyddai'r rhieni ond yn sibrwd am ryw ddigwyddiad neu'i gilydd tu ôl i'w dwylo neu'n trafod materion 'preifat' ar ôl i ni fynd i'n gwelyau. Dim ond i un rhiant fod yn llai na gofalus â'i sylwadau a mynegi barn am hwn neu'r llall yng nghlyw un ohonom a byddai'r briwsionyn gwybodaeth wedi ei rannu mewn byr o dro yn yr ysgol, yr aelwyd neu'r band of hôp. Allwn i ddim bod yn hollol siŵr ond roedd yr wyneb yn y pren fel petai'n amrywio yn ôl y digwyddiadau hyn, a'r wên yn lletach ac yn fwy mileinig po fwya fo'r sgandal. Pan ddôi diwedd i'r sgandal byddai'r wyneb yn dychwelyd i'w surni arferol.

Rwy'n cofio adegau pan dybiwn i fod y wên yn arbennig o lydan; yn wir, roedd rhychau ychwanegol fel petaent wedi ymddangos i bwysleisio ei firi mileinig a'i lygaid yn pefrio'n ddisgleiriach nag erioed. Bu nifer o ddigwyddiadau i siglo a bron sigo'r capel a gwneud i'r aelodau amau eu hamgyffred dilychwin ohonynt eu hunain. Darganfuwyd bod un o'r blaenoriaid wedi bod yn hel cyfran o'r casgliad i'w goffrau ei hun; clywyd bod absenoldeb un o'r gwragedd o'r oedfaon a the'r merched yn llai oherwydd y shingls, oedd yn achos i bawb gadw draw o'i thŷ, ac yn fwy oherwydd y cleisiau a gafodd gan gernodion ei gŵr oedd yn digwydd bod yn un o hoelion wyth y capel. Ond y digwyddiad a ysgydwodd y capel i'w sail oedd pan ddaliwyd y dihiryn fu'n ymosod yn rhywiol ar fechgyn yr ardal; postman oedd yn weithgar â chlybiau pêl-droed bechgyn y dref ar brynhawniau Sadwrn ac yn un o selogion y capel ar foreau Sul. Wow! Roedd seiliau'r lle yn crynu ac roedd yr wyneb yn wên o glust i glust.

Doedd neb yn dweud dim. Roedd yr embargo ar wybodaeth yn dynn, wel, mwy neu lai. Wedi'r cwbwl, roedden ni fechgyn wedi cael darlith go drawiadol gan y prifathro ac aelod blaenllaw o'r heddlu wedi'r gwasanaeth yn yr ysgol i fod ar ein gwyliadwriaeth rhag y dihiryn oedd yn denu bechgyn ifanc diarwybod i'w we, lle byddai'n ymosod arnyn nhw yn fygydog fin nos a diflannu i'r tywyllwch. Wnaethon nhw ddim ymhelaethu ar natur yr ymosodiadau; roeddwn i a llawer o'r bechgyn eraill yn llawer rhy naïf i ddeall, er i Josh Mawr, oedd yn llawer mwy hyddysg ym materion y byd, roi ymhelaethiad hynod ddisgrifiadol i ni ar y buarth amser chwarae.

Felly roedden ni fechgyn ar flaen y gad wybodaeth 'dan ddaear', fel petai. Ni ddywedwyd dim yn swyddogol wrthym gan rieni na chapelwyr am y perygl a phan ddarganfuwyd mai un o'u cydaddolwyr oedd wedi ei gyhuddo, aeth ffynnon y wybodaeth swyddogol yn hollol sych. Ond roedd yr un answyddogol yn gorlifo a Josh yn ein hysbysu.

'Blydi hel,' medde fi wrth i ni drafod y newyddion ar yr iard, 'roeddwn i yn y tîm!'

'Rhaid bo' ti ddim yn ddigon del,' oedd ymateb sardonig Josh.

Doedd y postman ddim yn y capel y bore Sul wedyn. Fe wyddwn i yn iawn pam. Roedd yr wyneb yn edrych yn fwy llon-fygythiol nag erioed.

Wedi'r oedfa, roedd sibrwd a sisial ymhlith y bobol oedd wedi ymgasglu yn yr heulwen y tu allan. Gwyddwn yn iawn beth oedd testun eu trafodaeth. Byddai'n anodd iawn sgubo hyn dan y carped.

'Cer i weld os ydy dy dad yn dod,' meddai Mam

wrtha i ar ôl i ni fod yno am bron hanner awr a phawb yn dechrau mynd am eu ceir i droi adref am ginio. 'Os bydd o lot hirach mi fydd y cig yn y popty'n golsyn.'

'Iawn,' medde fi. Byddai fy nhad yn ystafell y blaenoriaid drws nesaf i'r festri y tu ôl i brif adeilad y capel. Rhaid oedd mynd trwy'r capel i gyrraedd yno. Roedd cyfarfod y blaenoriaid yn hwy nag arfer. Gwyddwn yn iawn pam. Cyn agor y drws yn ôl i mewn i'r adeilad gwyddwn y byddai'n rhaid edrych ar yr wyneb, ond darbwyllais fy hun am y tro mai fy nychymyg i oedd yn chwarae triciau arna i. Camais i mewn. Haws fyddai peidio ag edrych ar y panel pren.

Tipyn o sioc oedd gweld Hen Grystyn yn sefyll yn grynedig yn sêt flaen y capel yn union o flaen y panel yn y capel gwag. Roedd ei ddwy law yn gafael yn ymyl y sêt fawr a'i lygaid wedi eu serio ar yr wyneb wrth ochr y pulpud. Roedd yn rhaid i mi edrych. Edrychai'r wyneb yn fwy mileinig nag erioed ac roedd dannedd na sylwais i arnyn nhw o'r blaen wedi ymddangos yn y geg. Roedd rhyw ias oer yn y capel hefyd er ei bod hi'n gynnes braf yn yr awyr agored. Sefais yn stond hanner ffordd at y festri pan glywais i'r gri yn dod o enau'r hen weinidog. 'Aaaaaaaa!' meddai. Roedd poen neu ymdrech yn ei lais, wyddwn i ddim pa un.

'Chi'n iawn?' holais i.

Trodd yr hen ddyn ata i a'i wyneb yn chwyrn, fel petawn i wedi ei syfrdanu o. Ddywedodd o'r un gair, dim ond amneidio i mi ddod ato. Cerddais yn betrus tuag ato a sefyll wrth ei ochr. 'Dal fy llaw i, fachgen. Dal fy llaw i'n dynn,' meddai, ac edrych yn syth i'n llygaid i cyn troi yn ôl i edrych ar yr wyneb unwaith eto a'r cryndod yn cynyddu yn ei freichiau.

Roedd rhychau'r wyneb dieflig yn y panel yn symud o flaen fy llygaid, a graen y pren yn chwyrlïo a chordeddu o'i amgylch. Aeth wyneb y gweinidog yn artaith. Roedd ei gorff yn sigo ond daliodd ei afael yn y sêt fawr a chadw ei lygaid yn ddi-syfl ar yr wyneb. 'Aaaaaaaa!' Daeth cri arall o'i enau ond yn wannach na'r tro diwethaf. 'Dal fi, fachgen, dal fi,' meddai a chydio'n dynnach ym mhren y sêt fawr. Gwnes yn ôl ei orchymyn a'i gadw ar ei draed. Ni symudodd ei lygaid o'r pren am eiliad. Roedd chwys ar ei dalcen. 'Cymer fi,' gwaeddodd, a'i lais yn atseinio trwy'r capel. 'Cymer fi, y diawl,' meddai'n benderfynol wedyn. Roedd y capel yn oeri mwy fyth, gredwn i.

Rhaid i mi gyfaddef nad oeddwn i'n hollol siŵr at bwy roedd o'n cyfeirio wrth ofyn i rywun ei 'gymryd'. Y cwbwl wnes i oedd gafael yn ei law a rhoi braich o'i amgylch i'w gynnal. Gallwn deimlo'r cryndod yn ei gorff.

Blydi hel, mae hwn yn cael harten neu ffit neu rywbeth, meddyliais, ond doedd neb o fewn clyw i mi alw am help. Y cwbwl allwn i ei wneud oedd ei gadw ar ei draed yn ôl ei ddymuniad. Roedd ei wyneb yn wyn fel y galchen a'i lygaid yn pefrio. Trodd y cryndod yn ysgwyd afreolus ond aros ar ei draed yn benderfynol wnaeth yr hen ddyn.

Wn i ddim o ble daeth y wich ond cynyddodd yn

raddol yn uchafbwynt byddarol, ac ysgytiwyd corff yr hen ddyn fel petai gordd wedi ei daro yn ei frest a chwympodd yn ôl yn y sedd. Allwn i mo'i ddal o ddim mwy. Peidiodd y wich. Troais i edrych ar yr wyneb yn y pren. Roedd y cordeddu wedi peidio a'i wyneb wedi dychwelyd i'r wep a welwn ar Suliau arferol.

Eisteddai'r gweinidog yno a'i anadl yn drwm.

'Chi'n iawn?' holais i.

Ni ddywedodd air ond trodd ei wyneb gwelw ata i a gwenu. Wna i byth anghofio'r wên honno. Roeddwn i'n ei hadnabod hi'n iawn. Trodd yn ôl ac edrych yn syth o'i flaen a chau ei lygaid. Cymerodd anadl hir a gollwng y gwynt o'i ysgyfaint. Ni chymerodd anadl arall a disgynnodd yn swp ar ei ochr yn y sedd. Diolch i'r drefn bod Mam yn nyrs, meddyliais, a heglais am y drws i'w nôl. Roedd hi'n syndod gen i bod y gwres fel petai wedi dychwelyd i'r adeilad.

Mewn byr o dro roedd torf fechan o amgylch yr hen weinidog a minnau erbyn hyn yn cadw i'r cefndir. 'Wel, mae o wedi ein gadael yn dawel ac yn y lle y byddai'n ei ddymuno,' meddai un o'r blaenoriaid.

'Mynd mewn hedd,' meddai un arall.

Ddwedais i ddim byd.

Soniais i ddim am fusnes yr wyneb a'r pren wrth fy rhieni. Soniodd neb arall eu bod nhw wedi clywed y wich annearol glywais i chwaith, ac es i ddim ar ôl y peth, rhag ofn iddyn nhw feddwl 'mod i'n dechrau colli 'mhwyll neu'n cael tröedigaeth neu rywbeth. Dydw i ddim yn cofio beth oedd hanes y gymdeithas wedyn; dw i'n siŵr nad oedd hi'n berffaith. Ni welwyd lleidr y casgliad eto; daeth gwellhad i'r wraig o'i 'shingls' ac mae ei gŵr yn dal yn un o'r hoelion wyth; aeth y postman i'r carchar yn crefu am faddeuant. Cadwais i olwg barcud ar yr wyneb yn y pren am flynyddoedd cyn gadael cartref am y brifysgol. Ni newidiodd ei wep wedyn.

Fe ddes i'n dipyn mwy o ffan o hen bregethwrs wedi'r achlysur, cofiwch.

Y CWCH

MAE hi bob amser yn anodd gwybod pryd i roi trwyn i mewn i bethau a phryd mae hi'n well gadael llonydd iddyn nhw. Dyna oedd fy mhenbleth i beth amser yn ôl.

Dydw i ddim y pysgotwr mwyaf llwyddiannus fu erioed, jest bo' fi'n mwynhau mynd allan i'r môr ar ben fy hun yn fy nghwch. Os ydw i'n dal rhywbeth mae o'n fonws. Os dydw i ddim, fydda i ddim yn colli cwsg am y peth. Mae pobol yn camddeall y pwrpas. Pe baech chi'n mynd allan i'r môr ac yn eistedd yn llonydd gan edrych ar y dŵr am dair awr mi fase rhywun yn meddwl eich bod chi'n boncyrs; ond gwnewch chi hynny efo gwialen yn eich llaw, ac mae'n iawn. Pysgota ar y môr ydy fy niléit i ers symud o'r gogledd.

Cwch deunaw troedfedd oedd gen i: caban bach ar y tu blaen a pheiriant digon cryf y tu ôl i mi i fynd rownd yr ynys, tua milltir a hanner y tu allan i'r bae.

Sgota am ddraenogiaid y môr y byddwn i, neu'r 'bass' sy'n eithaf niferus yn y parthau hyn (neu mi oedden nhw tan i ormod o bobol ddod i wybod amdanyn nhw). Roedd hi'n bleser o'r mwyaf gen i eistedd yn y cwch yng nghysgod Pen Cemaes ac aros i'r llanw godi fel y gallwn adael y llecyn cysgodol a hwylio aber yr afon i gyfeiriad y môr. Roedd y paratoi i fynd bron yn gymaint o bleser â'r mynd ei hun: y petrol, y brechdanau, yr offer pysgota a'r radio, jest rhag ofn. 'Boys' toys' yn ôl y wraig.

Mae'r tonnau'n gallu bod yn ddigon ffyrnig ar adegau pan fo gwynt cryf yn chwythu o'r gogledd ond gan amlaf mae'r bae'n ddigon tawel, yn lledu'n raddol tua'r ynys gyda chlogwyni'n disgyn yn serth tua'r môr. Mae'n rhaid i chi osgoi'r bar – tafod o dywod sy'n ymestyn o'r traeth ar un ochr i'r bae i ganol yr afon. Wedi cyrraedd yr heli, mae cysgod y clogwyni'n ymestyn am filltir a mwy cyn i chi gyrraedd y môr go iawn, a'r gilfach wedi llochesu sawl hwyliwr blinedig mewn storm.

Dydd Sadwrn oedd hi ym mis Mai, a byddai'n benllanw tua hanner dydd. Rhoddai hynny ryw bedair awr i mi fod allan a chyrraedd yr angorfa cyn i'r harbwr droi'n gae o gerrig a thywod eto. Gallwn fynd i forio'r diwrnod wedyn hefyd ond byddai'n rhaid cychwyn rywfaint yn hwyrach. Roedd y tywydd yn braf, yr haul yn tywynnu a nemor ddim gwynt. Perffaith. Cododd y cwch i wyneb y dŵr a throi i wynebu ymchwydd y llanw wrth i mi ddatod y rhaffau o'r cefn. Gostyngais y peiriant i'r dŵr a'i danio, gollwng y tennyn blaen, rhoi'r injan mewn gêr ac i ffwrdd â fi heibio i'r twristiaid niferus a'u plant yn dal crancod o erchwyn y pontŵn. Byddai bwrlwm y diwrnod ymhell y tu ôl i mi mewn munudau.

Es rownd Pen yr Ergyd i ddannedd y llanw a rhoi sbardun i'r peiriant i wrthsefyll y llif nes bod tu blaen y cwch yn codi. Roedd nifer o gychod eraill ar y dŵr y diwrnod hwnnw hefyd a sawl beic dŵr swnllyd yn carlamu'n chwyrn dros yr aber. Dyna pryd welais i o am y tro cyntaf, ddim 'mod i'n cymryd fawr o sylw ohono ar y pryd a chymaint o gychod hwyliau eraill yn y bae a'u hwyliau'n cyhwfan. Ond roedd y cwch hwn wrth angor, rhyw ganllath o'r traeth yr ochr draw i'r bar, a'r hwyl o amgylch y bŵm. Rhywun wedi dod i fwynhau awyrgylch hafaidd y diwrnod o hirbell, meddyliais i a mynd yn fy mlaen. Doedd neb i'w weld yn torheulo ar y bwrdd.

Doedd y mecryll heb ddod eto'r flwyddyn honno ond daliais ddau ddraenog braf. Mwynheais yr hedd wrth fynd dan y clogwyni gyda dim ond y morloi ac ambell ddolffin yn gwmni. Dydyn nhw ddim bob amser yn gyfeillion i bysgotwyr gan eu bod nhw'n cystadlu am gynhaeaf y môr ond roeddwn i'n falch o'u gweld. Daeth yn bryd troi'n ôl a throais y cwch am adre. Sylwais fod y cwch hwylio'n dal yno wrth i mi nesu at geg yr afon, a dim golwg o neb ar ei fwrdd. Efallai iddyn nhw fynd i'r lan yn rhywle ac y bydden nhw'n dychwelyd gyda chwch bychan maes o law. Byddai sawl cwch yn ymweld â'r bae ym misoedd yr haf ac os na fyddai cilbren dwbl ganddynt i'w galluogi i sefyll yn syth ar draeth, byddai'n rhaid iddynt angori mewn dŵr dwfn. Am adre yr es i. Byddai draenogiad blasus i de gyda photel o win coch.

Doedd y diwrnod wedyn ddim mor heulog ac roedd dipyn o wynt ond dim digon i gynhyrfu'r dyfroedd yn ormodol. Roedd y cwch yn dal yno. Edrychais yn fwy manwl arno wrth basio'r tro hwn. Roedd o rhyw ddeg troedfedd ar hugain, dybiwn i: cwch hwylio claerwyn deniadol a digon o le i deulu cyfan aros arno. Roedd olwyn y llyw yn y cefn a thranglins hwylio eithaf soffistigedig ar ei fwrdd. Gallai hwn hwylio'r cefnforoedd i gyd. *Dawani* oedd ei enw, yn glir ar ei drwyn. Roedd angor y tu ôl iddo ac ar y blaen i'w gadw'n sefydlog. Ymlaen â fi rownd yr ynys. Braidd yn hesb fu'r pysgota'r dydd Sul hwnnw.

Ar y dydd Llun roedd y gwynt yn argoeli tywydd tipyn garwach, ac erbyn trannoeth roedd hindda'r penwythnos wedi troi'n storm fawr a gwynt a glaw annhymhorol o ganol yr Iwerydd yn hyrddio eu dicter at y bae. Disgwylid llanw arbennig o uchel hefyd a golygai hynny y byddai tonnau sylweddol yn bwrw'n erbyn y creigiau. Fyddai angorion dros dro byth yn ddigon i wrthsefyll gwyntoedd mor chwyrn a thybiwn y byddai'r *Dawani* wedi hen ymadael am loches amgenach neu wedi mynd i drafferthion yn erbyn y creigiau, ond ni fu dim ar y newyddion. Soniais wrth Gwynfor yn y gwaith, sy'n berchen ar gwch fel fi, ond wyddai o ddim byd amdano. Doedd o heb ei weld o, oedd yn dipyn o syndod i mi gan y gwyddwn i ei fod o wedi bod allan yn pysgota fel fi dros y Sul.

Nos Fercher ar ôl gwaith, o ran chwilfrydedd, es i yn y car ar hyd y ffordd sy'n mynd ar hyd pen y clogwyn ac aros yn y gilfach barcio i ryfeddu at yr olygfa dros y bae. Es i â'r binocwlars efo fi. Codais o'r car i edrych dros y clawdd, a dyna lle'r oedd y cwch yn union ble gwelais i o ar y dydd Sul cynt, ddim gwaeth i bob golwg wedi'r dymestl. Chwiliais trwy'r binoc-wlars am arwydd o ryw fod dynol arno: rhywun yn edrych drwy'r ffenest neu gysgod yn pasio. Welais i neb.

Roeddwn i'n digwydd pasio'r un gilfach y noson wedyn ar y ffordd yn ôl o chwarae dartiau yn erbyn y Ship, a hithau wedi tywyllu. Troais i mewn i edrych. Roedd y *Dawani* yn dal yno ac roedd golau ar ben yr hwylbren ac yn un o'r ffenestri. Rhywun wedi dod yn ôl, meddyliais i a throi am adref.

Allwn i ddim mynd i bysgota dydd Sadwrn ond daeth cyfle nos Sul. Roedd hi'n llanw uchel tua wyth y nos a chawn ryw ddwy awr cyn iddi nosi. Bu'n ddiwrnod poeth ac roedd awel y môr yn rhyddhad rhag y gwres trymaidd ar y tir. Wrth ddod heibio i Ben Cemaes roedd hi'n syndod i mi nad oedd yr un cwch arall allan, ond roedd y *Dawani* yn dal yno a'i hwylbren talsyth yn olygfa drawiadol yn erbyn yr awyr gochlyd. Roedd chwilfrydedd yn dechrau cael y gorau arna i. Fyddai bois y bad achub lleol neu wylwyr y glannau wedi bod yn rhoi sylw i'r cwch?

Penderfynais fynd i sbecian. Wedi'r cwbwl, efallai fod rhywun yn sâl ar ei fwrdd. Dynesais. Roedd y môr yn dawel gyda dim ond ymchwydd yn cynhyrfu'r dyfroedd. Wedi cyrraedd yr ochr draw i'r cwch diffoddais y peiriant a gweiddi, 'Anyone aboard?' braidd yn betrus. Ni ddaeth ateb ac ni chododd neb ei ben i weld o ble y dôi'r llais. 'Anyone there?' medde fi wedyn. 'Can I come aboard?' Dim. Taniais y peiriant a chlosio o dipyn i beth nes bod y ddau gwch yn gyfochrog gan glymu'r rhaffau wrth bulpud a rheilen y *Dawani*. Yn sydyn, cefais bwl o amheuaeth. Efallai fod rhywun yn pendwmpian yn y caban ac y byddwn i'n ei ddychryn, felly bloeddiais, 'Anybody there. Can I come aboard?' Roedd fy ngwaedd yn ddigon uchel i ddeffro dyn o drwmgwsg. Dim ymateb eto ac felly mentrais gamu ar y bwrdd a sefyll wrth y llyw.

Roedd y cwch yn fodern gyda'r cyfarpar mordwyo diweddara i gyd. Trôi melin wynt fechan yn araf yn yr awel ysgafn uwch fy mhen; hon fyddai'n sicrhau gwefr i'r batris. Ac roedd y sgrin ar gyfer y sat-naf yn tystio bod digon o drydan yng ngwifrau'r cwch. Camais i'r talwrn llywio. Roedd y drws i fol y cwch ar agor. Synnais nad oedd unrhyw arwydd o ddŵr wedi'r storm; tybed oedd rhywun wedi tanio'r pympiau i waredu'r dŵr, neu oedden nhw'n dod ymlaen yn otomatig? Roedd hwn yn gwch modern wedi'r cwbwl. Synnais hefyd nad oedd arwydd o unrhyw fod dynol yn y talwrn: dim siwmper, dim arwydd o frechdan na diod, dim.

Camais ymlaen a rhoi fy mhen trwy'r drws agored.

'Anybody there?' holais. Dim ateb a chamais i mewn,
a dyna pryd y trawodd yr oerfel fi. Bobol, roedd hi'n
oer yn sydyn; ddim jest yn oer ond yn rhynllyd o
oer a hithau wedi bod yn ddiwrnod mor affwysol o
boeth. Gallwn deimlo'r croen gŵydd ar fy mreichiau
ond daliais i fynd trwy'r oerfel anghyfarwydd. Y
tu draw i'r drws roedd cegin fodern daclus. Dim
arwydd o neb wedi bod yn coginio. Popeth yn ei le a
lle i bopeth. Agorais gwpwrdd. Nid oedd na phaced
na thun na photel ym mhantri'r perchennog. Ymlaen
trwy ddrws arall ac ymhellach i fol y cwch. Tŷ bach
a sinc gyda phopeth yn lân a thaclus unwaith eto ond
heb arwydd o frwsh dannedd na sebon ar gyfyl y lle.
Agorais ddrws yr ystafell wely'n nerfus. Gwichiodd y
drws rhyw ychydig wrth i mi ei agor. Roedd y gwely'n
lân gyda dillad gwely ffres ond roedd arwydd bod
rhywun wedi bod yn cysgu ynddo gan fod pant yn y
gobennydd a phant – prin y gellid ei weld – yn y cwilt.
Agorais ddrws ystafell arall gyda dau wely bync. Neb
yno chwaith ond yr un mor ddestlus. Roedd yr oerfel
bron yn annioddefol. Caeais y drws a dychwelyd i
gynhesrwydd yr awyr agored. Arhosais am eiliad i
bendroni a barnu mai doeth fyddai gadael. Roeddwn
i'n tresbasu ac efallai na fyddai'r perchennog yn
gwerthfawrogi fy sylw pe bai'n dychwelyd. Edrychais
o'm cwmpas o'r bwrdd. Nid oedd cwch arall i'w weld.
Camais yn ôl ar fy nghwch fy hun yn ceisio meddwl
am y rhesymau posib dros i gwch mor berffaith fod
wedi aros ger yr aber am wythnos gyfan. Synnwn
yn fawr hefyd iddo oroesi storm mor enbyd. Roedd

yr awch i fynd i bysgota wedi hen fynd a'r awch am beint yn cyniwair. Taniais y peiriant a throi am yr angorfa.

Dim ond rhyw hanner dwsin o bobol oedd yn y Llew Coch. Roedd Dyfrig yno yn chwarae pŵl; roeddwn yn ei adnabod o'n eitha. Gwyddwn ei fod yn un o griw'r bad achub lleol fyddai'n ymarfer bob bore Sul. Doedd y llanw'n effeithio dim arnyn nhw gan y gallai'r tractor a wthiai drelar y bad fynd at y dŵr pa mor bell bynnag y byddai'r llanw allan. Ni fyddai'r dydd Sul hwn wedi bod yn wahanol, dybiwn i. Siawns na fyddai Dyfrig yn gwybod rhywbeth am y cwch.

'S'mai, Dyfrig,' medde fi o'r bar.

'Shwmai,' meddai yntau yn canolbwyntio ar y bêl nesaf oedd ganddo i'w suddo.

'Wedi bod allan heddiw?' holais i.

'Na,' meddai yntau. 'O'n i ddim ar y rota ar gyfer heddi. Pam ti'n gofyn?' Methodd y bêl y boced. 'Damia fe!' meddai a throi ata i, braidd yn flin â'i fethiant.

'Meddwl oeddwn i y baset ti'n gwybod rhywbeth am y cwch 'na yn y bae.'

'Pa gwch?' holodd Dyfrig yn rhoi sialc ar ei ffon.

'*Dawani* ydy ei enw o. Mae o wedi bod yno ers wythnos. Cwch eitha smart o be wela i,' medde fi.

'Sai wedi clywed dim ymbythtu fe. So'r bois wedi sôn am y peth chwaith a fi wedi siarad â cwpwl o nhw heddi. Newyddion i mi,' meddai Dyfrig.

Daeth ei dro i anelu a throdd ei sylw at y peli unwaith eto. Doeddwn i ddim am darfu arno ymhellach. Doeddwn i ddim yn meddwl y câi trafodaeth bellach groeso ond roedd ei anwybodaeth am y *Dawani* wedi 'nharo i fel gordd. Gorffennais fy mheint a throi am adref.

Roedd y gwynt wedi troi a llif o awyr oer yn dod o gyfeiriad y gogledd. Gyda'r awel dros fôr cynnes bydd niwl yn casglu a gall ddisgyn yn eithaf sydyn dros y dŵr a chyrraedd y dref i fyny'r afon. Dyna sut oedd hi erbyn i mi ddod allan o'r Llew Coch; roedd y tarth yn cyrlio'n llesmeiriol trwy strydoedd y dref.

Rydw i'n ystyried fy hun yn rhywun eitha sefydlog ei natur; ddim yn un i godi bwganod. Ceisiais wthio'r cyfan i gefn fy meddwl. Roedd y wraig yn gwylio un o'r cyfresi nos Sul yna pan gyrhaeddais i adref. Gwae i mi darfu arni yn ystod un o'r rheini, felly soniais i ddim am y peth. Arllwysais wisgi bach i mi'n hun a throi at y cyfrifiadur. Teipiais yr enw *Dawani* i'r chwiliwr. 'No results found' oedd yr ymateb. Eisteddais yno'n pendroni am beth amser. Gorffennais y gwydryn a throi am fy ngwely.

Y bore wedyn roedd y niwl wedi codi a'r haul yn disgleirio wrth i mi adael am y gwaith. Doedd hi ddim yn rhy bell o'm ffordd i fynd heibio'r olygfan unwaith eto i edrych dros y môr. Roedd y *Dawani* wedi bod yn corddi yn fy mhen trwy'r nos. Wedi parcio, codais o'r car i edrych dros y clawdd. Roedd o wedi mynd. Roedd y môr yn llyfn a'r culfor yn wag. Edrychais i bob cyfeiriad gyda'r binocwlars ond welwn i ddim, nac ar y gorwel ychwaith. Dim. Es i'n ôl i'r car ac ymlaen i'r gwaith. Gallai'r profiad fynd i ebargofiant.

Y dydd Sul canlynol oedd hi pan es i i bysgota eto. Doedd y llanw ddim yn gyfleus i mi fynd allan yn y cwch, ond ar ôl cinio penderfynais fynd â 'ngwialen ar hyd aber yr afon a cherdded i gyfeiriad y môr. Roedd y llanw allan a'r bar yn eglur. Prin oedd yr ymwelwyr ar y traeth gyferbyn ar ddiwrnod cymylog. Y bwriad oedd pysgota glan yr afon fel y dôi'r llanw i mewn.

Roeddwn i wedi bod yn chwipio'r dyfroedd yn aflwyddiannus am ryw hanner awr pan sylwais i ar fenyw dal, tua saith deg oed, dybiwn i, yn sefyll nid nepell oddi wrtha i yn edrych allan i'r môr. Roedd hi wedi gwisgo'n rhyfeddol o smart ar gyfer lleoliad o'r fath mewn ffrog sidanaidd oedd yn cyhwfan fel hwyl yn yr awel. Roedd hi'n sefyll yn hollol stond. Troais yn ôl at fy ngwialen a phan droais i'n ôl ati roedd hi'n dal rhywbeth tebyg i gostrel yn ei llaw. Agorodd y caead a thaflu cynnwys y gostrel i'r awyr; cododd cwmwl bychan i'r awel a chwythwyd ef dros ddŵr yr afon i gyfeiriad y môr. Rhoddodd y caead yn ôl ar y gostrel a sefyll yn dalsyth unwaith eto. Bu yno am amser hir a'r awel yn chwythu ei gwallt gwyn dros ei hwyneb.

Roedd hi wedi sefyll mor hir fel y teimlais y dylwn i holi oedd popeth yn iawn. Weindiais y lein a'r abwyd i mewn a cherdded ati.

'You OK?' holais i'r fenyw drawiadol hon. Roedd

lliw haul ar ei chroen, harddwch cynhenid yn ei hwyneb henaidd ac urddas yn ei hymarweddiad. Roedd hi fel petai heb sylwi fy mod i yno tan hynny ac roedd y cwestiwn yn dipyn o sioc iddi.

'Yes, thank you,' meddai hi a throi ata i. 'You like it here too, do you?' holodd hi wedyn.

'Yes,' medde fi. 'But I'll leave you. This is a private moment, I'm sure.' Gwyddwn yn union beth oedd hi'n ei wneud.

'It's all right. Sort of glad someone's here,' meddai hi. 'Scattering my late husband's ashes. We loved it here too. I thought he would like to come back.'

'Oh,' medde fi, yn methu meddwl am ddim amgenach i'w ddweud.

Trodd i edrych dros y culfor. 'We used to anchor there,' meddai a chyfeirio at y dŵr yr ochr draw i'r bar. 'We'd often stay for a day or more before moving on. We sailed around the world together after he retired and the children had long flown the nest.'

'Oh,' medde fi eto a rhyw deimlad anniddig yn dechrau cronni yn fy mhen.

Roedd hi'n benderfynol o barhau. 'He was an engineer; a very gifted one; perfect and precise in everything. His attention to detail was obsessive. He'd be pleased to come back here,' meddai hi gyda'r blewyn lleiaf o gryndod yn ei llais.

'Died recently?' holais i'n betrusgar.

'About a month ago. They found his body further up the coast. Carried there on the tide. The boat must have sailed on without him. Found wrecked off

Kinsale. Still there,' meddai hi yn edrych yn fyfyrgar tua'r gorwel.

'Accident then,' medde fi'n ceisio bod mor gydymdeimladol ag y gallwn i.

'Possibly,' meddai hi. 'He was diagnosed with terminal cancer about a month before. We will never know, but he was a very good sailor,' ychwanegodd gyda phenderfyniad yn ei llais ac edrychiad arwydd-ocaol ata i.

Efallai y dylwn i fod wedi gofyn beth oedd enw'r dyn, ond: 'What was the name of the boat?' ddaeth allan. Roeddwn i'n gwybod beth fyddai'r ateb.

'*Dawani*,' meddai hi.

Aeth y gwynt o'n ysgyfaint i a thrawodd yr enw fi fel gordd, ond ceisiais beidio â dangos fy syfrdan.

'Anyway, thanks for listening. Easier to talk to strangers, I suppose,' meddai hi'n ddisymwth. Rhoddodd gusan ar fy moch a gadael. Gwyliais hi'n cerdded ar hyd y lan gan osgoi'r pyllau dŵr wrth fynd. Sefais yno'n gegrwth am funudau hir yn amau fy mhwyll.

Roedd y llanw'n codi a byddai'n rhaid i mi gilio.

Dw i'n dal i fynd allan yn y cwch a dydw i'n dal ddim mymryn mwy llwyddiannus fel pysgotwr, ond yn bwysicach, dw i'n dal ddim callach pa bryd mae'n addas i mi roi 'mhig i mewn i fusnes pobol eraill a phryd i gadw draw.

Y GOFALWR

Fu tref glan y môr y Rhyl erioed y lle mwya swanc i fynd ar wyliau. Ond ar ddiwedd chwedegau'r ganrif ddiwethaf roedd digon o ddanteithion a difyrrwch i ddenu'r miloedd yno i'r meysydd carafanau oedd wedi tyfu fel madarch o amgylch y dref. Cynyddai'r boblogaeth o leia deirgwaith yn yr haf wrth i'r lluoedd heidio yno, gyda bwced a rhaw i balu yn y tywod neu i wthio'u ceiniogau prin i'r peiriannau slot niferus ar hyd y prom. Doedden nhw i gyd ddim yn dod yn eu ceir o Bootle, Widnes neu Warrington ac roedd angen cludiant i'r gweddill gyrraedd yno a theithio o gwmpas; bysiau Crosville oedd yn diwallu'r galw hwnnw. Byddai angen carfan sylweddol o yrwyr a chondyctars ar gyfer y bysiau ychwanegol i ddod â'r garfan gecrus, lafar hon i siopau, tafarnau a ffair y Rhyl. Byddai'r 'Summer Service' yn dechrau tua'r un adeg â gwyliau haf myfyrwyr ac yn gorffen pan fydden nhw'n dychwelyd i'w prifysgolion; cynigient stôr ddefnyddiol o weithwyr y gellid eu cyflogi ac na fyddai angen eu diswyddo ddiwedd y tymor. Hyfforddid nhw dros wyliau'r Pasg a'u taflu ar drugaredd y cyhoedd yng ngwyliau'r haf. Chaen nhw ddim mynd ymhellach na Phensarn neu Brestatyn fel arfer, ac os byddai angen iddynt fynd â bỳs i Gaer neu Lerpwl, roedd hynny'n dipyn o achlysur.

'Cwrw, tships, candi-fflos a wi-wi,' dyna'r arogleuon oedd yn nodweddu diwrnod prysur yng ngorsaf fysiau'r Rhyl yn ôl Ken, rheolwr yr iard. Roedd yn hen law ar roi olew ar ddyfroedd tymhestlog a chorlannu teithwyr yn llinellau trefnus, amyneddgar i aros eu bysiau i bedwar ban.

Heblaw am y pellter anghyfarwydd, roedd y Cymru Coastliner yn dipyn o fỳs i fyfyrwyr fel ni fod yn gyfrifol amdano ond roedd hi'n ddiwedd Awst a llawer o'r 'regiwlars' wedi mynd ar eu gwyliau hwythau, felly doedd dim dewis gan Hymph y bòs ond rhoi'r cyfrifoldeb i ddau fel ni. Roedd Tref yn hen law ar yrru, mab ffarm oedd wedi gweithio ar y Crosville y tymor blaenorol yn ystod ei wyliau o goleg Aberystwyth, ond gwas go newydd o'n i. Doedd y 'Leinar' ddim yn fỳs i chi fynd i lawr i'r dref i siopa ynddo fo chwaith, o nac oedd. Roedd hwn ar gyfer teithwyr mwy 'egseciwtif' – yn foethus, modern, cyflym a lluniaidd. Doedd o ddim yn iselhau ei hun drwy stopio wrth bob arhosfan chwaith ar y daith ar hyd arfordir gogledd Cymru.

'8.30 Coastliner to Chester,' gwaeddodd Ken,

'line up here please,' wrth i Trefor ddod â'r bỳs unllawr gosgeiddig rownd cornel yr orsaf fysiau fel llong at y cei un nos Sul. Safai'r rhesaid teithwyr yn amyneddgar – rhai wedi cael gormod o haul yn eu hetiau 'Kiss me quick' ac ambell un wedi cael diferyn yn ormod o Greenall Whitley. Doedden nhw ddim yn edrych yn egseciwtif iawn!

'Ti sy'n *riding shotgun* heddiw, ia?' holodd Ken fi, a minnau'r cyw condyctar yn ceisio ymddangos yn cŵl wrth i'r teithwyr ddringo heibio i ni trwy ddrws ffrynt y bỳs. 'Gwna di'n siŵr bod Leadfoot Lewis fanne yn cadw at ei amser, wnei di? Dydy hi ddim yn ras i Gaer, nac i chi gyrraedd yn ôl. Ti sy'n gyfrifol, cofio, deall?'

'OK bòs,' atebais ac edrych ar fy watsh. Roedd dau funud cyn i ni adael. Cytunai bysedd y cloc uwchben y cantîn.

Adeilad tua maint cae pêl-droed ond ar siâp L oedd gorsaf fysiau'r Rhyl; drws i ddod i mewn un ffordd a drws yr ochr arall i'r bysiau ymadael. Roedd swyddfeydd ar hyd un ochr, a thai bach yn y gornel yng ngolwg y cloc. O dan y cloc roedd mainc a dyna lle'r eisteddai, neu y cysgai Ecli; tramp oedd yn ymwelydd cyson bob haf. Doedd neb yn gwybod ei enw go iawn o, Ecli oedd o i bawb o deulu'r bysys. Cafodd yr enw hwnnw am fod yr atal dweud mwya ofnadwy arno ac y byddai'n dweud 'ec ec ec ec' cyn chwydu ei eiriau'n un llifeiriant annealladwy. Gwyddai Ecli amser pob bỳs a chodai ei fawd yn awdurdodol ar Ken wrth iddo'u rhyddhau drwy'r drws ffrynt. Roedd Ken, chwarae teg, bob amser yn codi ei fawd yn ôl arno fel petai'n derbyn ei gydnabyddiaeth. Cododd ei fawd rŵan fel y gadawai'r Leinar am hanner awr wedi wyth ar ei ben. Rhoddodd Ecli ei ben barfog, aflêr i lawr ar ei fag, ymestyn ei goesau ar y fainc a chau ei lygaid. Câi heddwch gan bawb ar ei fainc; roedd yr arogleuon a ddôi oddi arno'n darian yn erbyn y byd ac ni ddynesai neb. Es innau at fy ngwaith o gasglu arian a dogni tocynnau. Doedd dim llawer i'w wneud gan fod tocynnau dychwelyd gan y rhelyw a doedd ond rhaid eu gwirio a gwneud twll ynddynt rhag eu defnyddio eilwaith.

Nid cymryd arian oedd unig waith condyctar yn y cyfnod; rhaid oedd sicrhau bod y tocyn a gyflwynid am yr arian o'r peiriant trwsgl o amgylch y gwddw yn gywir, a'r cod ar y tocyn hefyd. Yn aml byddai arolygwr yn ymddangos yn ddisymwth, gan aros am y bỳs mewn arhosfan ymhellach i lawr y ffordd yn ei het a'i lifrai Crosville. (Mewn gwirionedd doedd o ddim mor ddisymwth â hynny gan y byddai gyrrwr bỳs oedd yn dod o'r cyfeiriad arall wedi fflachio ei olau a rhoi ei fawd i lawr i hysbysu'r gyrrwr bod arolygwr yn aros amdanynt yn rhywle.) John Llew oedd y barcud mileinia o'r frawdoliaeth hon; wedi dod i'r cerbyd, cerddai'n filitaraidd rhwng y teithwyr yn gwirio pob tocyn a gwae'r sawl oedd wedi teithio ymhellach na'r siwrnai y talodd amdani a druan o'r condyctar am beidio sylwi. Gwae mwy oedd i'r sawl nad oedd ganddo docyn o gwbwl a châi'r condyctar rybudd go chwyrn am y camwedd.

Disgyblu fyddai cosb condyctar aneffeithiol a dyna hi; roedd anonestrwydd yn fater llawer mwy difrifol. Ar adegau prysur byddai ambell deithiwr yn taro'i arian yn llaw'r condyctar ac yn neidio oddi ar y bỳs yn ddidocyn. Ystyrid hyn yn fonws a dalai am de i'r criw yn y cantîn; yn wir, ystyriai rhai gyrwyr hi'n ddyletswydd ar bob condyctar i ufuddhau i'r confensiwn hwn. Âi ambell gondyctar braidd yn rhy bell a cheisio ychwanegu at ei incwm yn fwy helaeth na'r ambell baned, ac anaml y gallai arolygwr mewn lifrai ddal y rhain. Byddai ymddygiad pob condyctar yn ddilychwin yn eu gŵydd, ac felly roedd rhaid i'r cwmni droi at ddulliau mwy llechwraidd i ddal y dihirod hyn a chyflogi arolygwyr o gwmni arall i deithio ar fysiau Crosville mewn dillad cyffredin. Roeddwn i'n eithaf nerfus o fodolaeth y garfan gudd hon, ddim am fy mod i'n anonest ond am fy mod i'n gwybod 'mod i'n ddigon abl i wneud camgymeriadau a throseddu'n ddiarwybod.

'Ti'n gwybod bod y snŵps 'ne wedi bod o gwmpas wsos yma, on'd wyt. Maen nhw'n bygars am i ni gadw'n hamser,' medde fi.

'Paid â phoeni am y bois "plên clothes" yna,' atebodd Trefor. 'Mi fedra i eu hogle nhw o bell, ti'n gwbod. Jest gad y dreifio i mi. Mae gen i beint yn y Bridge Club yn cael ei gadw yn neis ac yn oer i mi wedyn,' ychwanegodd gyda winc.

Roedd y Bridge yn sefydliad hynod lac o ran oriau agor a chau a châi sawl gweithiwr shifft ac ambell blismon beint hwyrol yno. Gwyddwn y byddai troed dde Tref yn pwyso'n drwm ar y sbardun ar y ffordd 'nôl.

Rholiais fy llygaid ond ddwedais i ddim mwy wrth i ni fynd heibio i'r cwrs golff tua'r Ffridd, a sŵn canu grwndi'r peiriant grymus yn swyno'r teithwyr yng nghefn y bỳs.

Disgynnodd ambell un ac esgynnodd ambell un arall i'r bỳs ym Mhrestatyn ac aethon yn ein blaen yn ddigon parchus a phrydlon. Roeddwn i wedi hen orffen fy ngwaith ac yn eistedd gan bwyso'n ôl ar y ffenest flaen yn malu awyr â Tref erbyn i ni ddynesu at Faes Glas tua naw o'r gloch gyda Gronant, goleuadau gwaith glo'r Parlwr Du a ffwrneisi gwaith dur Mostyn ymhell y tu ôl i ni. Roedd y Fflint a Shotton i ddod.

Arhosfan ar gyfer gweithwyr gwaith cemegol Courtaulds oedd ym Maes Glas a neb yn byw yn agos i'r lle. Annhebygol fyddai codi neb yno ar nos Sul.

'Pwy gythrel 'di hwn?' meddai Trefor yn sydyn. Troais i weld gŵr bychan ei gorffolaeth, hynod drwsiadus yr olwg yn camu ymlaen o'r cysgod a chodi ei fraich.

'Sut mae dy drwyn di, Tref?' holais i. 'Sut yden ni am amser?'

'Sbot on,' meddai Trefor yn edrych ar ei watsh.

Daeth Trefor i stop gan agor y drws â'r brêcs yn hisian. Esgynnodd y dyn moel y grisiau'n herciog ac eistedd yn un o'r seddau gwag ger y blaen gan wenu arna i. Roedd yn gwisgo siaced o frethyn melyn graenus a gwasgod goch. Gwnaeth sioe o estyn ei watsh boced ar gadwyn o boced ei wasgod, agor ei chaead, craffu ar y bysedd a chau'r caead yn glep cyn ei chadw'n ôl. Cododd ei ben a gwenu unwaith eto wrth i mi ddynesu i gasglu ei arian.

'Sh . . . Shotton plis, s . . . ingl,' meddai.

Edrychais yn fy llyfryn prisiau. 'One and six,' medde fi'n hyderus. Tynnodd yntau'r union arian o boced arall ei wasgod a'i gyflwyno i mi. Sicrheais fod y cod cywir ar fy mheiriant cyn troi'r ddolen a chyflwyno'r tocyn iddo.

'D . . . iolch,' meddai â gwên eto cyn troi i edrych trwy'r ffenest. Roedd yr haul wedi hen fachlud ond roedd arlliw glas-oren i'w weld o hyd. Es i'n ôl i sefyll wrth ymyl Trefor.

'Ti'n gwybod y dyn yna?' medde fi, a 'nghefn i at y teithwyr.

'Pa ddyn?' holodd Trefor.

'Hwnne ddoth ar y bỳs jest rŵan.'

'O, hwnne. Be amdano fo?'

'Ti'n meddwl ma snŵp ydy o?'

'Be wnaeth i ti feddwl ma snŵp ydy o?' holodd Tref.

'Dydy o jest ddim y math o berson y baset ti'n ddisgwyl ei weld yn fanne, a ma fo'n gwenu ac edrych ar ei watsh o trwy'r amser.'

'Paid â sôn!' meddai Tref yn goeglyd.

'A ti'n gwybod be?'

'Be?'

'Mi oedd o'n edrych yn ofnadwy o gyfarwydd i mi,' medde fi.

'Oedd o wir? Fel pwy?'

'Wn i'm, ac mi oedd o'n gwybod 'mod i'n siarad Cymraeg 'fyd.'

'Ti 'rioed yn deud!' meddai Trefor. 'Ti'n codi bwganod, hogyn. Os ydy hwnne'n snŵp mi wna i fyta'n het.'

Troais i edrych ar y dyn. Roedd o'n dal i wenu.

Disgynnodd y dyn bach pen moel oddi ar y bỳs yn Shotton a gwenodd ar y ddau ohonon ni wrth i'r drws gau. Ymlaen â ni i ddadlwytho gweddill ein teithwyr blinedig yng ngorsaf fysiau Caer. Roedd hi'n ugain munud i ddeg a byddai ganddon ni ugain munud i aros cyn ein taith yn ôl i'r Rhyl. Ni fyddai'r bỳs olaf i gyrraedd yno. Doedd dim cantîn ar agor i ni, felly aeth y ddau ohonon ni i eistedd ar fainc gyfagos wedi i mi brynu carton o sudd oren o'r peiriant otomatig yn yr ystafell aros. Roedd yr orsaf yn gymharol dywyll, fel petai ar fin cau. Prin oedd y teithwyr.

'Mynd i'r lle chwech,' meddai Trefor wedi cael dracht go dda o'r sudd oren.

Mae gorsafoedd trenau a bysys yn denu anffodusion bywyd am ryw reswm a doedd gorsaf fysiau Caer yn ddim gwahanol. Ar y fainc gyferbyn â ni, dan un o'r ychydig oleuadau oedd ynghyn, roedd tramp fel petai'n sefydlu ei barth ar gyfer y noson. Gosododd ei fag ar y fainc a rhoi ei ben blewog arno. Ymestynnodd ei goesau a thynnu ei gôt yn dynnach amdano. Edrychais yn hir arno.

Dychwelodd Trefor.

'Sgwn i os oes gan Ecli frawd,' medde fi'n fyfyrgar.

'Be wnaeth i ti feddwl hynny?' holodd Tref.

'Jest bod yna dramp yn fan acw a ma fo'n edrych yr un ffunud ag Ecli ni.'

'Paid â deud,' meddai Trefor a chraffu ar y trempyn. 'Blydi hel, ma fo 'fyd. Wrach bod iwnifform ganddyn nhw a bo' raid iddyn nhw i gyd wisgo fel Dic Aberdaron, yn rhan o'r job,' meddai wedyn.

Feddyliais i ddim mwy amdano a daeth deg o'r gloch. 'Gawn ni beint yn y Bridge wedi i ni orffen,' meddai Trefor gan godi ar ei draed. 'Fydda i ddim yn hongian o gwmpas ar ôl Courtaulds.'

'Ti sy'n deud,' medde fi'n ufudd.

Roedden ni'n gadael Caer am ddeg o'r gloch ar y dot. Sylwais fod Ecli Caer wedi codi i edrych arnon ni'n gadael a throi i edrych i gyfeiriad y cloc wedyn. Rhoddodd ei ben yn ôl i orffwys ar ei fag wedi hynny.

Dim ond tri o bobol oedd ar y bỳs ac roedd y rheini wedi'n gadael ar ôl Cei Connah. 'Ti'n gweld, neb isio ni,' meddai Trefor wrth weld y bỳs yn wag yn y drych. 'Courtaulds a tali ho am adre, iawn?'

'Iawn,' medde fi'n gyndyn.

Aethon ni trwy'r Fflint a Bagillt heb weld yr un copa walltog ac roedd Maes Glas a Cortaulds yn dynesu. Roedd troed dde Trefor wedi dechrau trymhau ac roedden ni ryw bum munud yn gynnar erbyn i ni gyrraedd. 'Ach, fydd neb yn gweld ein hangen ni,' meddai Tref. 'O, wn i'm chwaith,' meddai'n sydyn.

Troais i weld yr un dyn bach trwsiadus yn camu o'r cysgod a chodi ei law ar y bỳs, a thynnodd Trefor y cerbyd i'r gilfan.

'Blydi snŵp ddiawl ydy o, fetia i,' medde fi.

'Paid â bod yn hurt, da chdi. Jest meddwl am y peint yna'n aros. Fi sy'n prynu,' meddai Trefor wrth agor y drws.

Camodd y dyn bychan i mewn gyda'r un wên ar ei wyneb ag o'r blaen ac aeth i eistedd ryw ychydig seddau yn ôl o'r ffrynt.

'Tali blydi ho amdani 'te,' meddai Trefor. 'Cer i nôl ei bres o ac mi wnawn ni'i goleuo hi am adre.'

Doeddwn i ddim yn hapus, ond Tref oedd Tref a doedd dim dadlau. Es i at y dyn ac roedd o'n edrych ar ei watsh pan gyrhaeddais i ato fo. Rhoddodd hi i lawr, yn dal ar agor, ar ei lin. 'Ec . . . ec . . . ec . . . Pstatyn, p . . . p . . . plis,' meddai.

Edrychais yn fy llyfr. 'Ym . . . Swllt a chwech fel tro dwetha,' medde fi, gan 'mod i'n gwybod ei fod o'n siarad Cymraeg erbyn hyn.

Aeth i boced ei wasgod a thynnu papur chweugain ohoni. Derbyniais y papur a chwilota am y newid dyledus yn fy mag. 'Na,' meddai a rhoi ei law ar fy llaw i. 'Efallai bydd ei angen arnoch chi,' ychwanegodd.

Edrychais i braidd yn hurt arno a rhoddodd winc arna i. Doedd gen i ddim syniad beth oedd arwyddocâd y winc honno. Troais at y peiriant tocynnau i ddogni'r tocyn cywir iddo. Rhoddodd ei law ar fy llaw i a 'Na,' meddai'n bendant unwaith eto a thorrodd y wên yn ôl ar ei wyneb. Trodd i edrych allan trwy'r ffenest wedyn fel petai dim anarferol wedi digwydd.

'Ond mae'n rhaid i chi gael tocyn,' medde fi

ychydig yn gythryblus. 'Os na chewch chi docyn efallai y bydda i'n cael y sac.'

'Ec . . . ec . . . Chewch chi mo'r sac, ec . . . ec . . . ec . . . credwch fi,' meddai a throi oddi wrth y ffenest ac edrych yn syth i'n wyneb i a gwenu eto.

'OK,' medde fi.

Roedd troed Trefor i lawr ar y sbardun a sŵn yr injan wedi codi'n arw. Daliai'r dyn bach i edrych arna i. Cododd ei watsh a'i chau'n glep. Gyda'r glec fechan gostegodd sŵn yr injan yn sydyn ac arafodd y cerbyd yn sylweddol. Roedden ni'n mynd heibio i waith dur Mostyn ar y pryd.

'Tyrd yma, wnei di,' daeth llais Tref o'r cab.

'Be sy?' holais i.

'Mae fel tase'r wmff i gyd wedi mynd o'r injan 'ma. Yli, mae 'nhroed i at y llawr ac mi yden ni'n symud fel fflôt lefrith.' Roedden ni'n dynesu at Fostyn Glan y Don, nid nepell o'r Parlwr Du. 'Blydi hel, ma fo fel tase fo'n stopio ar ei ben ei hun ac yn tynnu ni mewn i'r stop,' ychwanegodd. A wir i chi, tynnodd y bỳs i mewn i'r gilfan a daeth sŵn gwynt y brêc. 'Ddim fi wnaeth hwnna. Y bỳs wnaeth o. 'Cin el, mae hyn yn blydi sbwci! Dydy o ddim yn ei gêr chwaith.'

Bu Trefor, a minnau gyda hynny o wybodaeth fecanyddol y gallwn i ei chynnig, yn trio amryw bethau i ddarbwyllo'r bỳs i symud am o leia bum munud, ond ni thyciai dim. Yn sydyn, daeth cnoc ar y drws a throais i weld cwpwl ifanc â babi ynghwsg yng nghôl y wraig yn sefyll y tu allan. Agorodd y drws. 'Ddim fi wnaeth hwnna chwaith,' meddai

Trefor, oedd yn dechrau amau ei bwyll erbyn hyn. Camodd y teulu ifanc tlodaidd yr olwg i mewn.

'Thanks for waiting, thought we'd missed you,' meddai'r gŵr ifanc a mynd i eistedd gyda'r wraig a'r plentyn tua chefn y bỳs. Yn sydyn daeth bywyd yn ôl i'r injan. Rhoddodd Trefor o yn ei gêr ac i ffwrdd â ni unwaith eto.

'Blydi sbwci os ti'n gofyn i mi,' ebychodd Trefor. Roedd yn gyrru'n hynod bwyllog mwya sydyn. 'Ti'n gwbod be,' meddai wedyn, 'ni'n union ar ein hamser.'

Es i i gasglu arian y cwpwl. 'Didn't think the bus stopped there,' meddai'r dyn ifanc. Allwn i ddim adnabod ei acen.

'It doesn't usually,' medde fi. 'But you're here now. Where to?'

'Rhyl please,' meddai.

Edrychais yn y llyfr. 'One and four each. Two and eight then, please. Babies go free. Broke down, did you?' holais i.

'Something like that,' meddai'r gŵr yn ddigon annelwig ac aeth i bwrs bychan a dangos yr ychydig arian oedd ynddo. 'Hm, only just,' meddai a rhoi'r union arian i mi. Rhoddais ddau docyn cywir iddo. 'Diolch,' meddai. Bwriodd y gair fi'n fud.

Roedd y dyn bach moel yn dal i eistedd ac edrych trwy'r ffenest. Gallwn weld ei wên wedi'i hadlewyrchu yn nüwch y gwydr.

Digon tawel fu Trefor a fi tan y cyrhaeddon ni oleuni a thawelwch nos Sul tref Prestatyn a gyrru i mewn i'r orsaf fysiau yno. Cododd y dyn bach ac ymadael. 'D . . . d . . . diolch,' meddai gyda gwên wrth fynd trwy'r drws. Diflannodd i'r cysgodion i rywle.

'Pwy gythrel oedd hwnne?' medde fi.

'Dim syniad. Tyrd, gad i ni fynd am y peint 'na.'

'Mi roth o bapur chweugain i mi am y ffêr a wnâi o ddim derbyn ticed gen i. Mi dries ond wnâi o ddim.'

'Gei di brynu'r peints 'te,' meddai Trefor. Roedd realiti'n dychwelyd.

Arhosodd y Leinar o'r diwedd yng ngorsaf fysiau'r Rhyl gyda hisian pendant y brêcs aer. Doedd dim sôn am Ecli. Cerddodd y tri theithiwr at y drws ac mi es i allan gyda nhw, gyda'r bwriad o fynd yn eitha siarp i roi arian y diwrnod yn y sêff.

'Ble chi'n aros?' holais i.

'Winkup's Camp. Mae teulu gyda ni yno. Ydy o'n bell i gerdded?' Allwn i ddim hoelio lleoliad ei acen o yn y Gymraeg chwaith.

'O ydy, rhy bell i chi gerdded. Pum milltir o leia. Mi gewch chi dacsi wrth y stesion; mae'r bysys wedi gorffen rŵan.'

'O,' meddai'r gŵr hynaws a golwg bryderus ar ei wyneb gan hanner edrych ar ei wraig a'r plentyn.

'Wela i di yn y Bridge wedi i mi fod â'r bỳs ddiawl 'ma i'r garej,' meddai Trefor o'r tu ôl i'r llyw.

'OK,' medde fi, a sbardunodd Trefor yr injan ac i ffwrdd â fo. Roedd hi'n dechrau glawio'n drwm y tu allan a sŵn dŵr yn tasgu o'r olwynion fel yr âi i lawr y stryd fawr yn hedd y nos.

Roedd y tad ifanc yn aros am gyngor pellach gen i, a'i wraig a'r babi'n edrych yn hynod o druenus wrth ei ochr. 'Does ganddon ni ddim arian ar gyfer tacsi,' meddai'n blwmp ac yn blaen.

'Ylwch, cymrwch hwn,' medde fi a thynnu'r papur chweugain o'r bag pres a'i roi yn ei boced.

'Chi'n siŵr?' holodd y gŵr.

'Ydw. Ddim fi pia fo eniwe. Ewch, brysiwch rhag ofn na fydd tacsi ar ôl. Y ffordd yna trwy'r drws cefn a dros y ffordd.'

'OK, diolch. Bendith arnoch chi,' meddai ac i ffwrdd â nhw.

Fe'u gwylies i nhw'n mynd a diflannu i'r nos wlyb. Troais i ystafell cyfri pres y condyctars i wagio fy mag yn teimlo'n eitha balch ohonof fi'n hun. Roedd Ecli wedi dod o rywle a safai gan bwyso yn erbyn piler wrth i mi fynd i mewn. 'Ec . . . ec . . . ec . . .' meddai. Ddeallais i'r un gair o'r truth ddaeth o'i enau wedyn ond gwenodd wedi iddo dewi. Roeddwn i'n adnabod y wên yna rywsut.

'Blydi sbwci,' medde fi wrtha i'n hun wrth roi'r bag arian yn y sêff nos. Doedd dim sôn am Ecli pan ddois allan o stafell y condyctars, na neb arall chwaith. Roedd y peint yna yn y Bridge yn aros.

'Yden ni'n mynd i sôn am hyn wrth rywun?' medde fi'n fyfyrgar dros y peint haeddiannol wrth y bar gyda Trefor.

'Na, dw i ddim yn meddwl. Ei gadw fo dan ein hetiau fase orau, greda i. Be wnest ti efo'r chweugain yna?'

'Ei roi o iddyn nhw.'

'Ti dalodd am y rownd felly. Blydi hel, dyna *first*, myn diawl,' meddai Trefor a chymryd dracht sylweddol o'i gwrw. 'Un arall?' holodd wedyn. 'Dw i'n talu.'

Cadw'r stori dan fy het wnes i hefyd, tan rŵan.

Y GYMWYNAS

Yɴ un ar bymtheg oed, doedd yna fawr o wefr i Arwel mewn mynd i wersi piano. Roedd y cae pêl-droed yn llawer mwy o atyniad, yn enwedig nawr bod yr hen Edryd wedi marw. Roedd Letitia wedi ceisio llenwi'r bwlch wedi marwolaeth ei gŵr ond doedd hi ddim patsh ar yr hen ddyn fel tiwtor. Roedd Edryd yn rêl impresario ac wedi bod yn gyfeilydd a pherfformiwr o fri yn ei ddydd. O Awstria y daeth hi yn wreiddiol a chwrdd ag Edryd tra gweithiai gyda cherddorfa o Fienna oedd yn teithio'r wlad wedi'r rhyfel. Y fiola oedd ei phrif offeryn ond roedd hi'n ddigon abl ar y piano hefyd. Disgynnodd dros ei phen a'i chlustiau mewn cariad ag Edryd a'i swynion cerddorol a phriododd y ddau ryw chwe mis wedyn. Roedd hi'n dipyn o bishyn yn ei dydd a doedd yr harddwch cynhenid heb ei gadael er ei bod yn saith deg chwech oed bellach. Roedd yntau'n ŵr trawiadol a'i wallt tonnog yn chwyrlïo ar ei ben pan âi i afiaith wrth chwarae. Ni chawson nhw erioed blant; 'rhy hwyr i priodi,' medde hi. Teithio dros y byd fuon nhw am flynyddoedd yn perfformio ac addysgu cyn dod yn ôl ar ddiwedd y chwedegau i fro mebyd Edryd i ymddeol, neu hanner ymddeol, gan y byddai plant y fro yn dod i'w tŷ teras sylweddol am wersi piano ganddo ac ambell un am wersi feiolin ganddi hi.

Doedd y gwersi feiolin ddim yn boblogaidd gan y cymdogion gan y byddai tonau ansoniarus, dolefus y disgyblion yn cordeddu i lawr y stryd ar ddyddiau braf o haf pan fyddai'r ffenestri ar agor. Ni fyddai cwynion am y synau a glywid pan fyddai Arwel yn ymarfer gan ei fod wedi dod yn dipyn o feistr ar yr ifori a nodau Chopin a Mendelssohn yn deillio'n swynol o'i fysedd. Roedd mwynhad yn y chwarae hyd yn oed os nad oedd cymaint o fwynhad yn y gwersi bellach. Roedd llawer o'r disgyblion wedi rhoi'r gorau i'r gwersi ers marwolaeth Edryd ond mynnodd hi gadw rhai. Roedden nhw'n gwmni wedi'r cwbwl. Ar wahân i'r ffaith fod ei fam yn mynnu fod rhaid iddo ddal ati, âi Arwel at Letitia i barhau ei hyfforddiant o ddyletswydd ac o barch at gof ei gŵr. Ac wedi'r cwbwl, ef oedd y seren, y ffefryn, ac ystyriai'r ddau ef bron fel mab iddynt. Rhagwelent yrfa ddisglair iddo ym myd cerddoriaeth. 'Ti yn fel fab i ni,' fyddai Letitia'n ei ddweud yn aml yn ei Chymraeg toredig. Roedd hi wedi gwneud ymdrech lew i ddysgu'r iaith ond roedd ei llediaith Awstraidd, y gwallau cystrawen a'i dewis anffodus o eiriau, heb sôn am y treigladau annisgwyl, yn destun sbort i lawer.

Roedd bryd Arwel wedi troi rywfaint at ferched
hefyd, ac roedd wedi sylweddoli bod nodau Jerry Lee
Lewis a Jelly Roll Morton yn fwy o fagned iddynt
nag oedd Schubert a Schumann. Dyna pam y daeth
yn giamstar ar y dull 'boogie woogie', yn ei amser
ei hun wrth gwrs. Roedd ei dad yn dipyn o ffan o
Scott Joplin hefyd. Fyddai'r hen Edryd byth wedi
cymeradwyo'r fath beth. Daeth yn dipyn o seren yn
yr Aelwyd ar yr hen biano honci tonc oedd yno, a
chasglai'r merched i bwyso ar yr offeryn gan ryfeddu
at ei fysedd sionc wrth chwarae'r 'Hesitation Blues';
ond ei hyfforddiant yn y dull clasurol a'i galluogodd i
feistroli'r dull newydd hwn.

Harten tra oedd allan yn cerdded ar hyd llwybr y
mynydd gafodd yr hen ddyn, rhyw chwe mis ynghynt
ar ddiwrnod rhynllyd ddiwedd mis Mawrth. Doedd
Letitia ddim gyda fe y diwrnod hwnnw, a Mrs
Morwenna Ellis a'i darganfu wrth fynd â'i chi am
dro. Roedd ei gorff wedi hen oeri erbyn y daeth hi
heibio. Allai dynion yr ambiwlans wneud dim.

Wedi'r angladd mawreddog gyda sawl un o
enwogion y byd cerddorol yn yr amlosgfa, yn ôl i'w
thŷ yr aeth Letitia. Aeth yn ôl yno i gasglu llwch yr
hen ddyn mewn costrel y diwrnod wedyn ac ar ôl
hynny caeodd y drws yn glep ar y byd. Nid oedd
unrhyw dystiolaeth ei bod hi'n dal yn fyw heblaw am
y cyflenwadau bwyd a gâi eu danfon yn achlysurol
o Siop Seimon a sŵn dolefus y fiola a glywid o'r tŷ yn
ddyddiol. Galwodd sawl un heibio i holi am ei chyflwr,
ond ni chaent ateb ac roedd y llenni wedi eu cau.

Felly y bu am ddau fis cyfan tan un bore pan welwyd y llenni'n agor a hithau'n camu o'r drws yn ei dillad gorau a'i gwallt brith wedi ei blethu'n daclus. Aeth ar daith o amgylch y dref a galw yng nghartref pob un o'u disgyblion i'w hysbysu bod yr academi gerddorol ar agor eto. Cyrhaeddodd Arwel ar gyfer ei wersi yn rheolaidd o'r mis Medi wedyn ymlaen. Tra byddai'n chwarae, edrychai hi'n hiraethus i gyfeiriad y mynydd trwy'r ffenest fawr grom yn ystafell y piano a dôi deigryn i'w llygad, ond ni châi Arwel byth ei weld.

Nid oedd lle yn y tŷ ar gyfer piano cyngerdd a rhaid oedd defnyddio piano unionsyth, ond roedd tôn y Bechstein yn llawn a melys gyda'r bysellau llyfn yn galw am y pwysau perffaith er mwyn cael y nodyn. Roedd mynegiant a dwysedd darn yn llifo ohonynt yn hawdd. Ar ei ben uwchben C ganol roedd costrel bren gron ar siâp ffiol a chaead ar ei phen. Roedd yr enw Edryd Jenkins wedi'i gerfio'n gywrain iddi. Ynddi roedd llwch yr hen ddyn yn goruchwylio ymarferion y disgyblion yn feunyddiol. Roedd yr ystafell gerdd yn llawn lluniau a thystysgrifau ar bob wal gyda'r ALCM a'r LRAM yn blaen bob ochr i'r gostrel. Roedd lluniau o Edryd gyda Yehudi Menuhin, Fou Ts'ong a Daniel Barenboim ifanc yn tystio i'w bedigri anrhydeddus ac roedd fiola Letitia bob amser ar glustog ar fwrdd bychan yn y gornel. Doedd fawr o luniau ohoni hi ar ei phen ei hun, dim ond fel rhan o gerddorfa. Roedd soffa, cadair esmwyth, cwpwrdd sylweddol, lamp a lle tân yn yr ystafell ond fawr mwy; ystafell wedi ei chysegru i gerddoriaeth oedd hon.

Mis Hydref oedd hi ac Arwel yn cyrraedd ar gyfer ei wers ar ôl ysgol. Gwyddai na fyddai Letitia yno. Roedd hi wedi ffonio'r diwrnod cynt i ddweud y byddai hi'n hwyr gan fod apwyntiad ganddi yn yr ysbyty ond ei bod am iddo fynd i mewn a dechrau ymarfer hebddi. Fyddai'r drws cefn ddim wedi ei gloi. Aeth Arwel i'r tŷ. 'Rhywun yma?' holodd yn uchel, rhag ofn. Ddaeth dim ateb. Aeth i'r ystafell gerdd. Roedd tân gwantan yn y grât a'r ystafell yn gynnes. Eisteddodd wrth y piano yn y tawelwch, ac o'i fag estynnodd y darn gan Chopin roedd wedi ei ddewis ar gyfer yr arholiad gradd wyth y byddai'n ei sefyll yn y flwyddyn newydd. Gosododd y sgôr yn ddefodol ar y piano a chodi ei fysedd at y bysellfwrdd. Oedodd cyn dechrau chwarae'r nodau o'r copi. Efallai mai dyma'r unig gyfle a gâi i glywed sut byddai'r hen Jelly Roll yn swnio ar y Bechstein, meddyliodd. Edrychodd trwy'r ffenest i lawr y stryd. Doedd dim sôn am Letitia a bwriodd i mewn i'r 'Hesitation Blues'.

'Waw!' meddai ar ôl gorffen. Oedodd am eiliadau i ryfeddu at y sain cyn symud ymlaen i 'Great Balls of Fire' Jerry Lee wedyn, gyda'i law chwith yn pwmpio'r rhythm a'i law dde yn dawnsio dros y bysellau. Roedd ei ben yn mynd i wewyr a'i gorff yn siglo yn ôl ac ymlaen fel yr hen Jerry a'r Bechstein yn adweithio'r un mor ufudd i greadigaeth Jerry ag a wnâi i gyfansoddiadau Mozart. Aeth i hwyl, ac ni sylwodd Arwel ar y gostrel uwch ei ben yn dynesu at erchwyn top y piano fel y dyrnai'r nodau ohono.

Roedd hi'n dipyn o sioc iddo pan gwympodd y gostrel yn swnllyd i ganol y bysellfwrdd a gwagio ei gynnwys ar ei arffed. Lwcus iddo allu dod â'i ddwy goes ynghyd mewn pryd pan laniodd y gostrel neu byddai llwch yr hen ddyn ar y llawr! Yn hytrach, roedd yn edrych ar bentwr o lwch brownaidd yn beryglus o agos at y dibyn rhwng ei goesau. Roedd y gostrel wedi rholio'n rhy bell i'w chyrraedd. 'Damia fo,' meddai. Roedd ei feddwl yn rasio. 'Aaaaaach!' meddai'n orffwyll, a'i ymennydd yn methu meddwl am ebychiad mwy addas ar gyfer y sefyllfa. Roedd panig yn dod drosto. Aeth hwnnw'n waeth pan welodd drwy'r ffenest fod Letitia yn dynesu i lawr y stryd. Daeth syniad. Cododd yn ofalus oddi ar sedd y piano gan gadw ei goesau mor agos at ei gilydd ac mor wastad ag y gallai a cherdded fel cranc at y lle tân. Cododd ac ysgubo'r llwch o'i drowsus i ganol y marwor poethion yn y grât. Cododd y gostrel wag a'r caead oddi ar y llawr a'u rhoi'n ôl ar ben y piano. Pan ddaeth Letitia trwy ddrws yr ystafell roedd Arwel yn ôl ar stôl y piano. Ni sylwodd hi ar y chwys ar ei dalcen.

'Chopin?' meddai hi'n hwyliog gyda gwên.

'Chopin,' meddai Arwel â gwên nerfus yn ôl.

'Te a Chopin, fi'n meddwl,' meddai hi wedyn a diflannu i gyfeiriad y gegin. Trodd Arwel at y copi o'i flaen a dechrau chwarae. Doedd ei fysedd ddim mor sicr ag arfer.

'Ti tipyn *stressed* heddiw, Arwel,' gwaeddodd arno o'r cefn.

'Cur pen, *migraine* yn dod,' atebodd Arwel yn nerfus ac aeth y wers yn ei blaen.

'O,' meddai hi ar ddiwedd y wers fel petai wedi anghofio rhywbeth. 'Gweld ti dydd Mawrth nesa?'

'Iawn,' medai Arwel wrth gerdded i lawr llwybr yr ardd.

Daeth y dydd Mawrth wedyn. Roedd hi wedi bod yn brynhawn mwyn, braf o Hydref a'r haul bellach wedi machlud yn goch yn wahanol i'r cymylau duon oedd yn casglu ym meddwl Arwel. Doedd yr wythnos ddim wedi bod yn un hawdd iddo. Bu ei gamwedd yn gyfrinach. Sut gallai ei rhannu? Byddai ei rhannu wedi bod yn hunllef. Beth petai hi'n mynd i edrych yn y gostrel i ddymuno noswaith dda i'w gŵr bob nos; neu efallai nad oedd hi ddim, cysurodd ei hun. Gallai ddychmygu'r tor calon ar ei hwyneb o ddarganfod y gwacter oddi mewn. Roedd ei goesau'n drymion wrth gerdded i fyny llwybr yr ardd y diwrnod hwnnw.

Curodd y drws yn ôl ei arfer a disgwyliai i wyneb trallodus ei gyfarch. Agorodd y drws a chyfarchodd Letitia ef â gwên. Roedd llonder yn ei llais. 'Chopin,' meddai. 'Ni am cael *geist* Chopin heddiw, ia?'

'Ia,' meddai Arwel yn ceisio cuddio'r rhyddhad yn ei lais.

'*Komm herein, komm herein.* Ti'n well? Migraine wedi mynd?'

'Ydy.'

Aeth hi i wneud y te oedd yn rhan o ddefod y wers ac aeth yntau i'r ystafell gerdd yn ôl ei arfer. Roedd y gostrel yn eistedd yn dalog ar y piano o hyd. Ni symudwyd hi ers yr wythnos cynt. Whiw! meddyliodd Arwel. Roedd cynllun ganddo.

Aeth i'w boced a thynnu cwdyn ohoni. Gwrandawodd a chlywed y tegell yn cael ei lenwi a'i osod ar y stof. Byddai sŵn y llestri i'w clywed cyn bo hir, tybiai. Yn ddistaw, cododd y gostrel a chodi'r caead cyn arllwys cynnwys y cwdyn i'r gostrel. Roedd wedi hel llwch tân o'r grât adref. Tybiai fod ei liw yn gyffelyb i lwch Edryd.

'Ti am dechrau?' daeth llais Letitia o'r gegin.

'Mewn munud,' atebodd Arwel. 'Jest yn sortio pethau,' ychwanegodd yn nerfus gan roi'r caead yn ei ôl a dychwelyd y gostrel i'w phriod le ar y piano gydag ochenaid o ryddhad fel y dôi Letitia i mewn i'r ystafell gyda'r hambwrdd.

'Barod?' meddai hi.

'Barod,' meddai Arwel. Gallai'r wers fynd yn ei blaen.

Bu llwyddiant yn yr arholiad gradd wyth ac roedd Letitia ar ben ei digon. Cyhoeddodd ei orchest iddi yn y gegin. Roedd Arwel wedi galw draw yn arbennig i'w hysbysu.

'*Wunderbar, wunderbar!*' meddai hi a derbyniodd Arwel gusan fawr wlyb ganddi. 'Rŵan ti ar y ffordd, ti ar y ffordd!' meddai hi a chodi ei breichiau fry mewn gorfoledd. 'Edryd bod yn prowd iawn o ti. Mae fe'n edrych i lawr yn hapus iawn heddiw. Ti'n dod i'r gwers dydd Mawrth?'

'Ydw.'

'Da iawn. Fi am i ti gwneud rhywbeth i mi,' meddai hi'n ddisymwth.

'Iawn,' meddai e.

'Fi am ti dysgu hwn,' meddai hi a chyflwyno sgôr eithaf trwchus iddo. 'Ti barod i hyn rŵan.'

Derbyniodd Arwel y llyfryn. Arno roedd y geiriau 'Adagio and Allegro Op. 70' gyda'r enw Robert Schumann.

'O,' meddai Arwel wrth agor y copi. Sylwodd fod hwn yn ddeuawd ar gyfer piano a fiola.

'Gwersi nesaf, ti dim talu,' ychwanegodd hi. 'Fi dim gallu dysgu ti nawr. Ti *lernen* hwn i mi.'

'Mae'n edrych yn anodd iawn,' meddai e.

'Fi'n gwybod ond ti'n gallu.'

'OK,' meddai Arwel. Gwyddai beth oedd ar ei meddwl.

Bu cryn ymarfer ar y darn sylweddol dros y mis wedyn a dim ond y darn hwn a ddefnyddiai Arwel yn ystod yr ymweliadau hyn â Letitia. Eisteddai hi wrth ei ochr yn hymian yn dawel a throelli ei phen yn llesmeiriol tra chwaraeai. 'Nawr ti'n barod,' meddai hi wedi rhyw fis o ymarfer. 'Wythnos nesa ni'n perfformio.'

'OK,' meddai Arwel yn ddrwgdybus.

Cyrhaeddodd Arwel ar y dydd Mawrth. Roedd hi'n flwyddyn gron ers marwolaeth yr hen ddyn.

Agorodd Letitia y drws iddo. Synnodd Arwel o'i gweld yn gwisgo gwisg grand o felfed du, cyngherddol iawn yr olwg. Hebryngwyd ef i'r ystafell. Ar silff y ffenest grom roedd dau wydryn hir a photel o siampên o'r enw Szigeti wrth eu hymyl. Aeth Letitia ati i agor y botel ac wedi i'r corcyn neidio arllwysodd yr hylif i'r ddau wydryn yn gelfydd, a'r swigod yn codi'n ewyn gwyn. Doedd Arwel erioed wedi blasu siampên o'r blaen. Cododd hi ei gwydryn a gwnaeth yntau'r un modd, fel y gwelodd sawl gwaith yn y ffilmiau. 'Heddiw, ni'n perfformio i Edryd,' meddai hi'n orchestol a chodi ei gwydr unwaith eto i gyfeiriad y gostrel ar ben y piano. Tybiodd Arwel y dylai wneud yr un modd.

'Rŵan ti eistedd a chwarae,' meddai hi, ac aeth Arwel yn ôl y gorchymyn at stôl y piano o flaen y Bechstein. Trodd hithau a chodi'r fiola oddi ar y glustog a'i gosod dan ei gên, a chodi'r bwa'n osgeiddig wedyn a nodio at Arwel iddo ddechrau chwarae. Nid oedd copi ganddi hi. Ni chlywodd Arwel hi'n canu'r offeryn o'r blaen.

Dechreuodd Arwel ar y cyfeiliant a hithau'r alaw, gyda'r nodau melys, dolefus yn codi i'r awyr. Nid oedd nam yn ei pherfformiad. Hyderai Arwel na fyddai ei berfformiad yntau'n siomi, a phalodd ymlaen a throi'r tudalennau'n chwyrn gan ddilyn pob nodyn yn fanwl gywir. Safai hithau yng nghanol y ffenest grom gyda golau llwydaidd machlud mis Mawrth y tu ôl iddi. Roedd hi'n ffigwr trawiadol yn symud ei bwa'n ddeheuig dros y tannau â gorchest

yn ei hymarweddiad. Llwyddodd Arwel i anghofio
poeni am fanylder ei chwarae ac ymuno â gwewyr y
perfformiad. Roedd eu sain yn hudol.

Daeth diwedd y darn cymhleth a throdd Arwel
i wynebu ei athrawes. Roedd dagrau yn ei llygaid
ond roedd heulwen haf yn ei hwyneb. Ymgrymodd
hithau ato. Cododd Arwel ac ymgrymu'r un modd
ati hi. Amneidiodd hi iddo ddod ati a sefyll wrth
ei hochr. Cydiodd yn ei law a chyfeirio at y gostrel
ar y piano a heb ddweud dim amneidiodd y dylent
ymgrymu eto, a dyna a wnaethant.

'Dyna ni, Arwel. Ni'n *fertig*, *finished*, wedi gorffen.'

'Am heddiw?' holodd Arwel.

'Na, am byth, *für immer*,' meddai hi.

'O?'

'Ti'n, sut fi'n dweud, *fertigwaren*, finished article.'

'O.'

'Fi dim dysgu ti nawr. Fi ddim yn digon da ar y
piano. Mae Edryd wedi mynd.'

'Ond chi'n dda ar y fiola, Letitia,' meddai Arwel.

'Diolch, ond roedd *geist* Edryd yma heddiw, yn
helpu fi a ti trwy Schumann,' meddai hi a chyfeirio
at y gostrel.

'O,' meddai Arwel eto yn cymryd dracht arall o'i
siampên. Ddywedodd e ddim mwy. Bu tawelwch am
eiliadau hir.

'Fi am ti gwneud rhywbeth arall i mi,' meddai hi'n
feddylgar.

'Iawn. Beth?'

'Ti'n gwybod ti fel mab i fi ac Edryd. Fi am i

ti gwneud *big favour* i mi. Ddim heddiw ond yn y
zukunft, y dyfodol. Blwyddyn yn ôl, Edryd wedi
marw ar y mynydd. Heddiw fi'n mynd â Edryd yn
ôl i'r mynydd. Dyna ble ni'n cerdded. Dyna ble ni'n
hoffi bod. Dyna ble ni'n hapus. *Zwei zusammen*.'

Roedd calon Arwel yn suddo fel plwm.

'Pan fi wedi mynd, fi isio bod efo Edryd. *Zwei
zusammen*, ti'n deall?'

'Ydw, dw i'n meddwl,' meddai Arwel.

Daeth gwên dros ei hwyneb a heb yngan gair
ymhellach, cododd Letitia a gafael yn y gostrel, ac er
gwaethaf oerfel y nos camodd trwy'r drws ffrynt yn
ei ffrog gyngerdd i'r gwyll heb na siwmper na chôt na
het.

'Ble chi'n mynd?'

'Edrych trwy'r ffenest. Bydd ti'n gweld. Aros yma,
dim yn hir.'

Gwyliodd Arwel hi'n cerdded dros y ffordd ac yn
dringo'r llwybr serth yn y llwydwyll. Prin y gallai ei
gweld yn dawnsio'n heini ar hyd y llwybr cyn troi i
lecyn agored rhwng y coed. Gallai weld ei siâp yn
dawnsio fel un o'r tylwyth teg o gwmpas coeden, yn
gwasgaru llwch o le tân ei fam. Ni wyddai hi wir hynt
gweddillion yr hen ddyn. Ni allai fyth ei hysbysu o'r
gwirionedd.

Yn ei flwyddyn olaf yng Ngholeg Cerdd a Drama
Caerdydd roedd Arwel pan glywodd am dranc

Letitia. Nid oedd yn edrych ymlaen at yr angladd. Ef wnaeth lawer o'r trefniadau.

Nid oedd torf yno fel y bu yn angladd Edryd. Doedd dim teulu. Roedd llawer o'i chyfoedion wedi marw neu'n rhy fusgrell i ddod. Roedd nifer o bobol o'r stryd lle'r oedd hi'n byw, nifer o'i chynddisgyblion a cherddorion y grŵp operatig lleol yno i ddod â safon i'r achlysur. Ac roedd yno un gŵr henaidd trawiadol yr olwg gyda'i gôt yn theatrig dros ei ysgwyddau. Daeth at Arwel ar ddiwedd y gwasanaeth yn yr amlosgfa. 'You must be Arwel. I've heard a lot about you,' meddai.

'Yes,' meddai Arwel.

'Edryd and Letitia used to talk a lot about you.'

'Did they?' meddai Arwel.

'Glowing terms, glowing terms,' meddai'r dyn. 'Here's my card. If you're in London give me a ring,' meddai a rhoi'r cerdyn ym mhoced siaced Arwel cyn ymadael am y maes parcio. Gwyliodd Arwel ei Mercedes du yn gadael yn fuan wedyn. Tynnodd y cerdyn o'i boced a'i ddarllen:

Reginald Peabody
Music and Theatrical Agent
a chyfeiriad ar Tottenham Court Road, Llundain.

'Hmm,' meddai Arwel.

Daeth y trefnwr angladdau ato. 'Allech chi gasglu'r llwch yfory? Bydd y gostrel yn barod i chi bryd hynny.'

'Iawn,' meddai Arwel.

Cadwodd Arwel ei adduned. Pendronodd yn hir ble i chwalu'r llwch, ond ar y domen ysbwriel gerllaw'r dref y safai un min nos gyda chostrel bren, gyffelyb i'r un a ddymchwelodd oddi ar y piano flynyddoedd ynghynt. *'Zwei zusammen,'* gwaeddodd a thaflu'r llwch i'r awel gyda gweddill lludw tanau'r dref.

Bu'r cyswllt â Mr Peabody yn gaffaeliad mawr a blodeuodd ei yrfa o'r herwydd. Bu'r arian, nid bychan, o ewyllys yr hen wraig yn gaffaeliad mawr hefyd, nid yn unig iddo ef ond hefyd i'r Coleg Cerdd a Drama lle mae ysgoloriaeth yn dwyn ei henw hyd heddiw.

Nid i fyd y clasuron yr aeth Arwel ond datblygu fel un o gynhyrchwyr mwyaf blaengar y theatr gerdd. Trodd ei yrfa yn fwy at *boogie woogie* nag at *arpeggios* ond roedd yn dal i droi at Schubert a Schumann am ysbrydoliaeth o dro i dro.

---

* *Zwei zusammen* = dau gyda'i gilydd

Y LLYTHYR

DOEDD Godfrey heb fod yn y Ffors yn hir iawn: newydd basio ei gwrs ddechrau haf 1969. Mab i deulu oedd yn berchnogion chwarel tua ochrau Corwen oedd o. Doedd ganddo fo ddim rhyw awydd mawr i fynd i mewn i'r busnes, ac roedd hynny'n ddigon cyfleus i'r teulu, gan nad oedd lle nac elw i warantu i dri mab fod yn gweithio yn y chwarel. Felly cadw gwyliadwriaeth nos yn swyddfa heddlu y Rhyl yr oedd o dan adain Sarjant Oliver Roberts ar noson dawel wlyb ym mis Awst. Un o barthau Coed-poeth oedd y sarjant: un yn edrych fel 'tai o wedi bod yn blismon ers dyddiau Crippen. 'Built for comfort, not speed' oedd ei ddisgrifiad o'i gorpws helaeth ac aros wrth ddesg swyddfa'r heddlu y byddai tan iddo ymddeol mewn rhyw flwyddyn. Ni fynnai droelli rownd y strydoedd bellach.

Yn y chwedegau, doedd y 'pyntars', fel y galwai'r sarjant yr ymwelwyr, heb glywed eto am Torre-

molinos a Benidorm ac roedd danteithion glan môr
y Rhyl yn ddigon o atyniad, er nad oedd sicrwydd
o haul. Gallai pethau fod yn eithaf diddorol i fois y
Ffors ar benwythnosau gan fod haul a boliad iawn o
gwrw'n gymysgedd go ffrwydrol i ambell ymwelydd,
a rhaid fyddai cynnig lletty anghyfforddus i'r dihiryn
yn y celloedd cyn ei daflu allan i'r wawr tua chwech
y bore. Doedd dim brecwast yn y fargen! Y sôn oedd
bod cyfradd droseddu'r Rhyl yn uwch na Lerpwl ond
mewnforio troseddwyr a wnâi'r Rhyl; doedden nhw
ddim yn rhai cynhenid fel arfer ac roedd yr ystadegau
braidd yn gamarweiniol.

Erbyn dau o'r gloch ar fore Mercher roedd y drwg
a'r da wedi hen fynd i'w gwelyau a bois y shifft hwyrol
wedi mynd am adref ers tro. Roedd y tafarnau yn cau
am hanner awr wedi deg wedi'r cwbwl a doedd clybiau
ddim ond ar agor ar nos Wener a nos Sadwrn. Dim
ond Sarjant Roberts a Godfrey oedd ar ôl i warchod
y dref rhag drwg. Roedd y ddau ddrwgweithredwr
meddw yn y celloedd yn chwyrnu'n braf. Roedd dau
heddwas mewn car yn rhywle ond bydden nhw yn y
swyddfa yn chwilio am baned tua phedwar y bore.

'Wyt ti am fynd am dro, washi?' holodd Sarjant
Godfrey oedd yn setlo wrth y bwrdd i ddarllen ei
bapur.

'Ond Sarj, mae hi'n bwrw,' meddai Godfrey
braidd yn gwynfanllyd.

'Yli, ti'n gweld nene?' meddai'r sarjant gan
bwyntio at y tair streipen ar lawes ei siaced. 'Gei di
rai o nene un dwrnod, ond am rŵan, ti'n gwneud be

ma'r streips yn ddeud wrthot ti am neud. Dallt?'

'Ydw, Sarj,' meddai Godfrey yn wylaidd a chodi.
Rhoddodd ei glogyn glaw am ei ysgwyddau a'i
helmed ar ei ben.

'Cofia, *crime never sleeps*,' ychwanegodd y sarjant.
'Mi wna i baned o goco i ti pan ddoi di'n ôl,' meddai
wedyn yn goeglyd.

'Diolch, Sarj,' meddai Godfrey â chrechwen wrth
adael. 'Rhywle sbesial chi am i mi fynd?'

'Jest rownd,' meddai'r sarjant ar ei ôl.

'Rownd' aeth Godfrey, ar hyd y stryd fawr gan
wirio sicrwydd cloeau'r siopau ar ei ffordd, wedyn
i lawr am y stesion ac yn ôl i gyfeiriad y prom ar
hyd Stryd Bodfor. Roedd pobman yn dawel fel y
bedd. Roedd y glaw wedi ysgafnhau rhywfaint a
theimlai braidd yn chwyslyd dan y clogyn ar noson
mor fwyn. Aeth heibio i dafarn y Bee a'r siop bapur
newydd drws nesaf. Roedd y drysau ynghlo bob
un. Fflachiodd ei dortsh yma ac acw dros y ffenestri
ac i mewn i ambell siop. Fel y bedd. Aeth ar draws
y groesffordd ac ymlaen heibio'r Imperial a heibio
i'r Tŷ Coffi newydd. Roedd goleuadau'r stryd yn
disgleirio o'r gwlybaniaeth ar y palmentydd. Yn
sydyn, ar ochr arall y stryd ger wal rhwng dwy siop
gwelodd rywun yn sefyll mewn man oedd mewn
rhywfaint o gysgod. Roedd yn gwneud rhyw ystum
fel petai'n ceisio gwthio rhywbeth i'r wal.

'Oi!' meddai Godfrey a fflachio'i dortsh i'w
gyfeiriad. Gallai weld mai wal frics blaen oedd o
flaen y ffigwr. Dyn ydoedd mewn côt hir ddu a het

a chantel go sylweddol iddi. 'Sgiws mi,' meddai Godfrey eto o ochr arall y stryd ond ni throdd y dyn i arddangos ei wyneb. Nid ymatebodd i gyfarchiad y plismon chwaith. Dechreuodd Godfrey groesi'r stryd tuag ato. Roedd y glaw yn drymach unwaith eto. Cyn iddo gyrraedd, trodd y dyn a mynd i gilfach wydr siop Hadley – un o'r siopau hynny sydd â'r fynedfa wedi ei gosod i mewn o'r stryd lle gallai cwsmeriaid weld y cynnyrch yn y ddwy ffenest cyn mynd i mewn bob ochr iddynt gyda chysgod rhag glaw. Brysiodd Godfrey i ddilyn y dyn i'r gilfach wydr. Fflachiodd ei dortsh yno, ond roedd y dyn wedi mynd. Ond roedd yn sicr mai dyma lle'r aeth o. Ni allai fod wedi diflannu o'i olwg i lawr y stryd. Sbeciodd Godfrey allan i'r glaw unwaith eto, rhag ofn. Ni welai neb. Trodd yn ôl at ddrws y siop. Ysgydwodd y ddolen ond roedd y drws ynghlo. Fflachiodd olau i dywyllwch y siop. Ni allai weld dim mwy na silffoedd a'r offer ysgrifenyddol a werthai'r siop. Gallai weld y tu ôl i'r cownter. Nid oedd neb yn cuddio.

'Be gythrel?' meddai Godfrey yn dechrau amau ei bwyll.

Edrychodd ar lawr sych y gilfach. Gallai weld ôl traed gwlyb ei esgidiau maint deg ei hun ond hefyd ôl traed gwlyb arall yn dod i mewn i'r gilfach ac yn mynd yn syth at ddrws gwydr y siop. Beth oedd yn syndod mwy iddo oedd fod yr ôl traed yn parhau ar lawr pren y siop oddi mewn.

'No we. Mi faswn wedi ei weld o'n agor y drws. Doedd yna ddim digon o amser,' meddai. Tynnodd a gwthiodd ddolen y drws unwaith eto. Roedd y drws yn soled. 'Blydi hel,' meddai wedyn yn dawel a chwythu gwynt o'i fochau. Safodd yn ôl yn y glaw a phendroni a'r diferion yn disgyn o'i het ar ei drwyn. Y benbleth oedd ganddo oedd sut i ddweud wrth y sarjant am yr hyn a welodd. Wedi'r cwbwl, doedd o ddim am fod yn destun gwawd i'w gyd-heddweision ac yntau prin ddeufis yn y swydd.

Yn ôl i'r swyddfa yr aeth.

'Gredwch chi ddim be dw i wedi ei weld, Sarj,' meddai wrth y sarjant wrth gerdded trwy'r drws a golwg eithaf cythryblus ar ei wyneb.

'Pam? Dywed dy hanes, hogyn,' meddai'r sarjant yn ffug dadol.

Teimlai Godfrey fel plentyn saith oed yn dweud hanes ei ddiwrnod wrth ei athro wrth adrodd yr hyn a ddigwyddodd. Disgwyliai i'r hen sarjant chwerthin yn rhadlon rywbryd yn ystod ei druth, ond ni wnaeth.

'Oedd o'n gwneud rhywbeth fel hyn?' holodd y sarjant ar ôl tipyn a gwneud ystum cyffelyb i'r un wnaeth y dyn â'i law.

'Ia, dene fo. Yn union fel 'ne,' meddai Godfrey yn teimlo rhyddhad fod yr hen blismon wedi ei ddeall, ac yn fwy na hynny, wedi ei gredu.

'Maen nhw'n dweud mai postio llythyr ma fo,' meddai'r sarjant yn fyfyrgar. 'Ti'n gweld,' meddai wedyn ar ôl oedi am ychydig, 'o be dw i'n ddallt, dipyn cyn 'yn amser i, maen nhw'n dweud bod 'ne ddyn yn byw mewn fflat uwchben lle mae siop Hadley's heddiw. Roedd o'n berchen ar y siop hefyd ond doedd o ddim yn gwerthu papur a phethe felly bryd hynny.' Oedodd y sarjant cyn parhau. 'Mi grogodd ei hun. Y stori ydy iddo fo sgwennu llythyr cyn iddo fo farw ond bostiodd o mono fo ac mae ei ysbryd o'n dod i lawr weithie at y bocs post i'w bostio fo.'

'Blydi hel. Chi'n deud 'mod i wedi gweld ysbryd felly?'

'Ydw,' meddai Sarjant Roberts yn blwmp ac yn blaen.

'Ond does yna ddim bocs post yn fanne,' meddai Godfrey.

'Nac oes, ddim rŵan,' meddai'r sarjant, 'ond mi oedd yna un yno ers talwm. Dw i'n cofio un yno'n hun.'

'Blydi hel,' meddai Godfrey eto. 'Sgwn i be oedd yn y llythyr ac at bwy oedd o wedi ei anfon o.'

'Mmm,' meddai'r sarjant yn feddylgar. 'Dw i'n siŵr fod y llythyr yma'n rhywle yn y stordy yn y cefn acw. Cer i neud paned ac a' i i chwilio amdano fo. Wyddost ti ddim. 'Sdim byd arall gynnon ni i'w wneud. Dau siwgwr i mi,' meddai wrth ddiflannu i'r ystafell gefn.

Roedd paned y sarjant yn aros amdano ac wedi dechrau oeri erbyn iddo gyrraedd yn ôl o'r stordy. 'Bingo,' meddai gan chwifio amlen lwydaidd yr olwg yn ei law ac wedyn ei chyflwyno i Godfrey cyn eistedd wrth ei de. 'Damia, mae hwn wedi mynd yn oer. Ti'n hoples yn gneud paned, fachgen.' Diflannodd i gyfeiriad y gegin wedyn i ferwi'r tegell eto.

Pan ddychwelodd, roedd Godfrey yn eistedd wrth y bwrdd gyda'r llythyr yn ei law a'i wyneb yn welw.

'Be sy, hogyn?' holodd.

'Hwn,' oedd unig ymateb Godfrey wrth gyfeirio at y llythyr.

'Be amdano fo?' holodd y sarjant. 'Darllen o i mi, 'sgen i mo'n sbectol.'

Cliriodd y cwnstabl ifanc ei lwnc a dechrau darllen yn betrus:

NP Ironmongers
Bodfor St.
Y Rhyl

Awst 10fed, 1923

Annwyl Mr Jones,

Erbyn i chi ddarllen hwn, ni fyddaf mwyach ond credaf mai da fyddai i chi wybod pam. Yr wyf fi wedi mynd yn fethdalwr. Mae'r siop wedi methu. Mae fy hunan-barch wedi mynd ac mae'r gwarth yn fy llethu. Hanner canpunt oedd yn ddyledus gennych i mi ond bu hynny'n ddigon im hanfon dros y dibyn, ac mae'r atafaelwyr sydd ar ôl fy nyledion i ar eu ffordd. Gwae chi, a nifer o fusnesau eraill y bûm yn aros yn hir wrthynt am arian na ddaeth. Eich £50 chi oedd yr hoelen olaf yn fy arch, y byddaf ynddi yn fuan.

Yn gywir,
Nathaniel Parry

'Yr Israel Dafydd,' meddai'r sarjant. 'At bwy oedd o i fod i gael ei anfon?'

'Ellis Jones, Chwarel y Parc, Corwen, yn ôl yr amlen,' atebodd Godfrey yn benisel.

'A pwy oedd hwnnw, sgwn i?' meddai'r sarjant.

'Taid,' meddai Godfrey.

'O,' meddai'r sarjant a barnodd mai doeth fyddai tewi.

Roedd heddiw yn Awst y degfed.

Y PWLL

YCHYDIG iawn o ôl y pyllau glo sy i'w weld bellach, dim ond ambell adeilad wedi ei droi'n stabl a thwmpathau o wastraff glo wedi eu harddu. Mae'r tirwedd yn laswellt i gyd a phrin y byddai dieithryn yn tybied y bu gweithfeydd glo di-rif yma gyda'u llwch a'u prysurdeb. Roedd pyllau dyfnion yma, lefelau yn cloddio i mewn i ochrau'r mynydd a glofeydd drifft gyda'u siafftiau yn goleddfu yn hytrach na phlymio am i lawr.

Ond os ewch chi i'r parc sy bellach ar safle'r pwll amlycaf a fu yn yr ardal, maen nhw wedi mapio'r hen wythiennau glo oedd yn cordeddu ymhell dan y ddaear. Mae llinell yn dangos cyfeiriad pob gwythïen a'i dyfnder yn croesi'ch llwybr wrth i chi gerdded. Roedd gwe o dwnelau dan ddaear yn croesi'n blith draphlith dros ac o dan ei gilydd yn dilyn y glo, a choliars fel morgrug ynddynt yn ei gloddio i ddiwallu anghenion diwydiant a mordeithio. Roedd sôn y gellid clywed sŵn glowyr o lofa arall yn naddu'r glo yn atseinio yn y dyfnderoedd. Bu farw sawl un yn llenwi dramiau a choffrau y Chwyldro Diwydiannol. Ond pan gyrhaeddais i o'r gogledd fel glas athro i'r cymoedd ym 1976 doedd y dirywiad heb ddigwydd yn hollol, er bod cwtogi sylweddol wedi bod yn nifer y gweithwyr dan ddaear yn sgil poblogrwydd olew. Roedd y pwll lle mae'r parc heddiw yn dal i weithio a'r hwter i'w glywed yn feunyddiol yn galw'r dynion i'w gwaith.

Digwydd siarad â Garfield yn y dafarn rhyw ddydd Sadwrn wnes i, wrth iddo ddrachtio o'i beint wrth y bar wedi gorffen ei shifft. Roedd ôl y glo fel masgara ar ei amrantau. Ni allai'r gawod olchi'r parddu yn hollol.

'Lot o lo heddiw?' holais i yn eithaf naïf.

'Dim glo heddi,' meddai e. 'Gweithio ar *headins* ydw i.'

'O,' medde fi. 'Be 'di rheini?'

'Gwaith paratoi,' meddai a dechrau ar ei druth yn egluro sut roedden nhw'n cloddio twnnel y naill ochr i'r wythïen a chysylltu twnnel arall rhyngddyn nhw lle gallai'r peiriant cloddio gael ei osod. Gallai hwnnw fwyta trwy'r glo wysg ei ochr yn y wythïen rhwng y ddwy *headin* lle byddai'r belt i gludo'r glo i waelod y siafft. Roedd Garfield yn gallu mynd i afiaith wrth egluro dirgeledigaethau ei waith. Rhaid bod golwg o benbleth ar fy wyneb i a barodd iddo fo ddweud, 'Edrych, os ti moyn gwpod am bythach fel hyn, dere lawr 'da fi. Byddi di'n gallu gweld wedi 'ny.'

'Ym, pryd?' holais i.

'Fory. Dere lawr. 'Sdim llawer yn digwydd ar ddydd Sul. Mae pythach yn eitha tawel. Gei di ddod â rhywun 'da ti os ti moyn.'

'Ti am ddod hefyd?' gofynnais i Wayne oedd wedi dod i'r dafarn gyda fi.

'Ble?' holodd Wayne.

'Lawr y pwll efo Garfield fan hyn, fory.'

'OK,' meddai Wayne. ''Sdim byd arall yn galw, sai'n credu.' Roedd Wayne bob amser yn un am her.

Ac felly y bu.

Am hanner awr wedi wyth drannoeth ar fore glawog roedd y tri ohonon ni'n sefyll ar ben y pwll yn aros am y cawell i'n cludo i berfeddion daear. Roedden ni'n dau wedi gwisgo dillad mor garpiog ag y gallen ni ddod o hyd iddyn nhw, a chawsom bâr o oferôls oren gan Garfield ac roedd pâr o esgidiau cryfion am ein traed. Gyda helmed a lamp ar ein pennau roedden ni'n teimlo'n rêl bois.

Disgynnodd y cawell fel carreg gyda'r gwynt yn chwyrlïo o amgylch ein clustiau. Gallwn deimlo fy nhraed yn codi rhyw ychydig o'r llawr pan ddechreuodd y cwymp yn y tywyllwch, ac roeddwn i'n ddigon balch o gyrraedd tua'r gwaelod a'r teimlad fod y cawell yn arafu. Glaniodd yn syndod o ysgafn wedi i ni hyrddio mor chwyrn i'r goriwaered ac agorwyd y drws i ni gan golier yn ei oferôls oren yn ein cyfarch.

'Croeso i uffern,' meddai'n wawdlyd wrth Wayne a fi, yn gwybod yn iawn ein bod ni'n ddibrofiad yn y dyfnderoedd.

'Diolch,' medde fi a chamu i'r goleuni pŵl oedd ar waelod y siafft.

'Shwdi, Garfield,' meddai wedyn cyn cau drws y cawell ar ein holau a dychwelyd i'r cysgodion yn rhywle.

Doedd dim angen ein lampau eto. Yn wir, doedd dim angen ein lampau am gyfnod go sylweddol wrth i ni gerdded trwy un o'r agorfeydd ar hyd yr *headin* newydd hon. Roedd digon o olau trydan yn llewych i ni ac fel roedd Garfield wedi darogan, roedd popeth yn dawel wrth i ni gerdded heibio'r belt disymud a redai i'r pellter trwy'r twnnel o fandiau crwm uwch ein pennau. Roedd digon o uchder yma i ni sefyll yn syth. Mae'n siŵr i ni gerdded o leiaf hanner milltir, gyda Garfield yn cyfeirio at hyn a'r llall ar hyd y ffordd.

'Dyma ble'r oedd hen wythïen y Bryn yn dechrau,' meddai gan gyfeirio at fwlch yn y wal. 'Mae hi wedi bennu nawr ers blynydde. Ni'n mynd bellach mewn ac i lawr tamed bach at y wythïen ni'n gweitho arni ddi nawr. Mae sawl gwythïen omboitu fan hyn sy wedi caead lawr ers blynydde.' Cadw'n eitha tawel wnaeth Wayne a fi. Roedd yr amgylchfyd hwn mor ddieithr i ni. Roedd bron hanner milltir o graig uwch ein pennau wedi'r cwbwl.

Roedd diwedd y twnnel yn dynesu a'r golau'n pylu rhyw ychydig a stopiodd Garfield yn sydyn. 'Chi am fynd mewn, bois?' holodd, gan gyfeirio at dwll oedd fawr mwy na lle tân cyffredin.

'Ble, i fanne?' holais i.

'Ie, dyna'r ffas. Fe fydd Mel yn disgwyl amdanoch

chi ar y pen arall. Cymrwch rhain,' meddai a chynnig gorchuddion pen-lin rwber i ni. 'Bydd angen y rhain arnoch chi.'

Edrychodd Wayne a fi ar ein gilydd a gwisgo'r gorchuddion.

'Mewn â chi, bois bach,' meddai Garfield â gwên, ac yn wir i mewn â ni, gyda Wayne yn arwain. Mae cynneddf fwy anturus na fi ynddo. 'Fyddwch chi'n iawn,' meddai Garfield wrth i'n penolau ni ddiflannu i'r twll.

Doedd geiriau ein cyfarchydd ar waelod y pwll ddim yn bell o'u lle; roedd hyn yn uffern. O'n blaenau roedd twnnel hir o goesau metel yn dal y to, bob un yn gweithio'n hydrolig i'w galluogi i gamu ymlaen fel y bwytâi'r peiriant naddu y glo yr ochr draw iddynt. Ond roedd yn dawel heddiw. Yng ngolau ein lampau doedd dim diwedd amlwg i'r twnnel cyfyng hwn, ac nid oedd dim amdani ond ymlwybro ymlaen ar ein pedwar at Mel fyddai'n ein cyfarch.

'Ac mae pobol yn gweithio fan hyn bob dydd!' medde fi. 'Blydi boncyrs os ti'n gofyn i mi.' Roedd fy nghefn i'n dechrau gwegian yn y cyfyngder ond rhaid oedd mynd ymlaen. Wyddwn i ddim pa mor bell roedden ni wedi teithio pan gwrddon ni â cholier yn eistedd yn ddigon di-hid yn y tywyllwch yn bwyta brechdan o'i focs bwyd. 'Be gythrel wyt ti'n wneud fan hyn?' holais i.

'Symud y tsiocs,' meddai gan gyfeirio at y coesau hydrolig roedden ni'n cerdded yn drwsgl trwyddyn nhw.

Yn sydyn daeth sŵn y graig yn cwympo yr ochr draw i'r tsiocs rhuthr sydyn o wynt llychlyd. Ysgytiwyd Wayne a minnau. 'Be gythrel?' medde fi.

'Jest y to yn disgyn y tu ôl i ni,' meddai'r glöwr yn hollol dawel a pharhau â'i frechdan. 'Mae'r to yn disgyn fel ni'n symud y tsiocs'mlân. Roedd Garfield wedi gofyn i mi gadw golwg amdanoch chi a rhoi y "guided tour" i chi. Dyna'r ffordd allan. So fe'n bell,' meddai'n gellweirus a chyfeirio at ein llwybr ymlaen. 'Fi'n mynd bant y ffordd arall,' ychwanegodd. Wedi cau ei focs bwyd cychwynnodd i'r cyfeiriad arall gan ein gadael ar ein pennau ein hunain.

'Diolch,' medde fi. Ni allai weld y pryder ar fy wyneb na chlywed fy nghalon yn dyrnu ond roedd ei agwedd ffwrdd-â-hi yn gysur. Roedd hyn yn gwbwl naturiol iddo. Ymlaen â ni.

Daeth cwymp o'r to ddwywaith eto ond o leia roeddwn i'n gwybod bod y sŵn yn ddigon arferol bellach. Roedd fy mhenliniau yn dechrau gwegian. Doedd Wayne ddim yn ei gweld hi'n hawdd chwaith yn ôl y tuchan a'r grwgnach a glywid ganddo. Yn sydyn daeth sŵn rhyferthwy anferthol o rywle, dipyn mwy na'r cwympiadau achlysurol o'r blaen. Yng ngolau fy lamp gallwn weld y coesau metel yn plygu y tu blaen i mi a'r graig ddu yn disgyn rhwng y pileri a chorwynt o lwch yn dod atom. Troais i guddio fy wyneb rhagddo. Gwnaeth Wayne yr un modd. Peidiodd y corwynt mewn eiliad ond roedd y ddaear yn crynu a sŵn metel yn gwichian a gwegian o'n cwmpas. 'Blydi hel!' medde fi. 'Dyma'n diwedd ni. Mae'r ddaear yn cwympo arnon ni.'

Gallwn weld trwy'r llwch o'n blaenau fod y graig wedi llenwi'r bwlch bach roedden ni'n bwriadu cropian drwyddo.

'Dim ffordd drwodd,' meddai Wayne. ''Nôl â ni, dw i'n meddwl,' meddai wedyn yn syndod o cŵl. 'A paid â hongian omboitu.'

Doedd dim rhaid dweud dwywaith. Stryffaglais i droi a chropian mor gyflym ag y gallwn trwy'r coesau metel cam. Doedd y trywydd ddim mor syth bellach. Roedd natur yn amlwg am ddangos ei goruchafiaeth dros ymdrechion dynoliaeth. Roedd fy nwylo i'n dechrau gwaedu ond doedd dim ots gen i, rhaid oedd dianc o'r uffern dywyll hon.

Ac wedyn digwyddodd; rhyferthwy arall o'n blaenau yn cau ein dihangfa. Rhuthr o wynt ac wedyn tawelwch. Roedd Wayne a minnau'n garcharorion mewn cell dywyll, gyfyng dan hanner milltir o graig. Edrychodd y ddau ohonom ar ein gilydd yng ngolau ein lampau. Doedd dim y gallen ni ei ddweud, ac roedd yr hunllef yn amlwg ar wyneb Wayne fel roedd yn sicr o fod ar fy wyneb innau. Arhosom yn dawel yn disgwyl rhyferthwy arall. Ni ddaeth un.

'Dyna ni 'te,' medde fi ar ôl tipyn. Allwn i ddim meddwl am ddim amgenach i'w ddweud.

'Iep!' meddai Wayne.

Synnais sut yr adweithiais i yn y sefyllfa angheuol hon. Teimlai Wayne yr un fath. Unwaith i'r sioc ein gadael, daeth cyfnod o osteg. Roedd hi'n ddiwedd arnom. Byddai'r aer wedi mynd cyn bo hir. Ni fyddai amser i'n hachub, hyd yn oed os gwyddai unrhyw un am y cwymp a hithau'n ddydd Sul tawel yn y pwll. Roedd y ddau ohonon ni fel pe baem ni'n sydyn am dderbyn ein tranc. Allen ni wneud dim, mor bell o olau dydd, a'r byd oedd yn gyfarwydd i ni.

'Be os . . . ' medde fi.

'Paid,' medde Wayne.

'OK,' medde fi. Sylweddolais nad oedd dim pwynt. Bu tawelwch.

Ddim bod yr un o'r ddau ohonon ni'n grefyddol ond dechreuodd Wayne adrodd . . .

'Ein tad . . . ' meddai.

'Ust,' medde fi.

'Be?' holodd Wayne.

'Y sŵn yna.'

'Pa sŵn?'

'Y sŵn crafu yna, yn dod o'r fan acw,' medde fi yn cyfeirio at fan y tu ôl i Wayne yn y twnnel. Ac wrth godi fy ngolygon a llewych fy lamp, yn wir roedd arwydd o rywbeth yn symud yn dod rhwng y barrau toredig drwy'r llawr. Edrychodd y ddau ohonom yn gegrwth fel y daeth blaen rhaw trwy'r llawr gyda chwa o wynt bendithiol i'w ddilyn. Yn fuan wedyn daeth llaw trwy'r twll sylweddol oedd wedi ymddangos ac amneidio arnom i ddynesu. Sgrialodd y ddau ohonom ymlaen at y twll yn y tywyllwch a sbecian i lawr yn betrus. Oddi tanom gallem weld rhywun yn amneidio aton ni eto. Doedd dim dewis ond gostwng ein hunain yn ofalus trwy'r bwlch at yr arwr hwn, pwy bynnag oedd o. Ni ddywedodd air wrthym. Nid oedd ganddo lamp na helmed na'r lifrai oren roedden ni'n gyfarwydd â nhw. Ches i ond yr olwg fwyaf brith o'i wyneb a llwch y glo yn drwch drosto. Trodd ar ei sawdl a dechrau cerdded a dilynodd y ddau ohonom yn ufudd.

Yng ngolau ein lampau gallem weld bod y lle hwn yn dra gwahanol i'r pwll modern a adawsom. Roedd distiau o bren a hen beiriannau ar fin y ffordd gymharol gyfyng a serth roedden ni'n ei cherdded, gyda rheiliau ar gyfer dramiau yn arwain at i fyny. Roedd dŵr yn aml dan ein traed ac roedd afonydd bychain yn rhedeg i lawr y waliau duon ac yn dirwyn i bellafoedd yr ogof yn rhywle. Roedd hi'n anodd cadw cyswllt â'r gŵr hudol hwn oedd o'n blaenau. Roedd ei gam yn fychan, chwim a chyson wrth droedio trwy'r budreddi a'r peirianwaith rhydlyd, ond dal i fynd yn rhythmig a wnâi. Doedden ni ddim am golli golwg o'r angel gwarcheidiol er mor fyr oedd ein gwynt.

Rhaid ein bod ni wedi bod yn cerdded am dros filltir gan droi i sawl cyfeiriad annisgwyl ar hyd y ffordd, yn aml dros dwmpathau o gerrig oedd wedi cwympo o'r to a thrwy lynnoedd bychain at ein penliniau ar ambell le gwastad. Ond heblaw am y rheini, roedd y llethr yn serth ac roedd y rheiliau yn dangos y ffordd.

'Hei, edrych,' meddai Wayne yn sydyn. 'Edrych, dw i'n gweld golau fan acw.' Roedd tipyn o lethr i'w ddringo eto ond roedd llygedyn i'w weld ac yn tyfu fel y dringem ar y rheiliau tuag ato. Arhosodd y gŵr yn y sydyn a chynnig mandrel i mi. Wyddwn i ddim pam. Derbyniais ef cyn prysuro ymlaen. Roedden ni'n baglu a sgrialu yn ein rhyddhad fel pryfaid yn cael ein denu at y golau.

Wrth frysio ato daeth gweld golau dydd â gwaedd o orfoledd gan y ddau ohonon ni. O fewn eiliadau roedden ni'n sefyll o flaen barrau haearn rhydlyd a drain yn tyfu trwyddyn nhw a'r bywyd roedden ni'n ei adnabod yr ochr draw. 'Hei, help,' gwaeddodd y ddau ohonom mor groch ag y gallen ni. Doedd neb i glywed. Ysgydwais y barrau. Doedden nhw ddim yn edrych yn rhy soled. Ysgydwais nhw eto a darganfod un oedd dipyn yn fwy llac a rhydlyd na'r lleill.

'Dere â'r mandrel 'na i mi,' meddai Wayne.

Rhoddais yr hen gelficyn iddo a dyrnodd yntau waelod y bar yn orffwyll. Nid oedd ond rhaid dyrnu ddwywaith a thorrodd y follten oedd yn dal y gwaelod. Rhyngom, fe lwyddon ni i dynnu'r bar a'i blygu i wneud digon o le i berson fynd rhwng y barrau oedd wedi eu gwanhau gan rwd. Roedd achubiaeth i ni. Camodd Wayne trwy'r bwlch gyntaf a thorri llwybr trwy'r mieri. Clywais waedd o orfoledd ganddo wrth wneud, a'r drain yn ceisio rhwygo ei ddillad wrth iddo chwyrlïo yn fuddugoliaethus drwyddyn nhw.

Cyn ei ddilyn, troais yn ôl i chwilio am ein hachubwr, iddo ef gael ein dilyn. Nid oedd sôn amdano. 'Hei,' medde fi. 'Hei, ni allan!' gwaeddais i wedyn ond nid oedd ond sŵn fy llais yn atseinio i lawr y twnnel. Ond roedd yr awyr agored yn fy ngalw.

Plygais i godi'r mandrel. 'Hei,' medde fi unwaith eto cyn troi i ymadael trwy'r bwlch a'r mieri. Dim.

Roeddwn i'n adnabod yr olygfa a welais wrth ddod allan i'r awyr agored. Roedden ni'n sefyll mewn lle tebyg i hen waith glo hanner ffordd i fyny'r mynydd yn edrych i lawr ar y cwm, ond nid y cwm lle'r oeddwn i'n byw ydoedd ond y cwm drws nesaf. 'Blydi hel! Ni wedi dod dan y mynydd,' meddai Wayne.

Ddywedodd yr un ohonon ni fawr ddim ar hyd y llwybr i lawr at y pentref. Roedd sŵn seirenau yn groch yn y pellter.

Efallai i chi ddarllen y newyddion yn y *Western Mail* ar y pryd: 'MIRACULOUS ESCAPE FROM MINE' ... gyda fi a Wayne yn sêr dros dro.

Yn ddiweddarach y clywon ni mai trwy hen waith Bryn B y dihangon ni: hen inclein lle bu tanchwa ar droad y ganrif. Lladdwyd deg ac ni ddarganfuwyd eu cyrff. Caewyd y pwll yn fuan wedyn. Tybid bod y lle wedi boddi ers degawdau.

Ni laddwyd neb gan y cwymp y tro hwn.

Tybiodd Wayne a minnau mai cadw'n dawel am y gŵr a'n hachubodd oedd orau. Mae'r mandrel yn dal gen i mewn bocs gwydr yn y stydi. Diolchaf i'w berchennog bob dydd.

TOSH

Gwasgodd y plismon ei fys ar y botwm ger y rhwystr. 'Hello, can I help you?' daeth y llais trwy'r uchelseinydd bychan.

'Dyfed Powys Police. We're looking for a Joshua Davies,' atebodd y plisman gan edrych o'i gwmpas ar y maes carafanau glan y môr o'i flaen. Cododd y rhwystr yn ddiymdroi. Roedd tri phlismon arall gydag ef yn y BMW. Roedd ail BMW, un plaen y tro hwn, yn aros y tu ôl i'r un cyntaf gyda dau blismon arall a dau swyddog o'r FBI yn eistedd yn y sedd gefn. Synnai'r ddau Americanwr fod yr ymchwiliad wedi eu harwain i encilion gorllewin Cymru. Parciodd y ddau gar yn y llecyn parcio gyferbyn â'r swyddfa a chododd un o'r plismyn o'r car plaen a mynd i mewn i'r adeilad.

Beth amser yn ôl, cyfnod sy'n edrych fel oes yr arth a'r blaidd erbyn hyn, roedd masnachu cyfranddaliadau yn digwydd trwy ddynion mewn cotiau amryliw yn gweiddi ar ei gilydd yn 'nhalwrn yr eirth' fel y'i gelwid yn y gyfnewidfa stoc yn Llundain. Os oeddech chi am brynu neu werthu, roedd yn rhaid i chi gael rhywun i'ch cynrychioli neu fod yn rhan o syndicat sylweddol i gael unrhyw sylw gan waeddwyr y talwrn, gan fod symiau anferth yn cael eu lluchio rownd y lle i greu elw yn ôl esgyniad neu ddisgyniad yn yr amryw farchnadoedd. Roedden nhw'n masnachu mewn olew, metelau, gwenith, sudd oren, popeth, a gwerth y rheini'n codi a disgyn bob munud yn ôl sylw neu ddiffyg sylw prynwyr a gwerthwyr. Erbyn hyn mae'r byd wedi newid, a'r sylw wnaeth rhywun oedd mai tri pheth sydd eu hangen i fasnachu bellach, sef cyfrifiadur, ci a dyn; swyddogaeth y cyfrifiadur ydy gwneud y masnachu; swyddogaeth y dyn ydy bwydo'r ci; a swyddogaeth y ci ydy rhwystro'r dyn rhag mynd yn agos at y cyfrifiadur. Yn sgil y ddibyniaeth hon ar dechnoleg diflannodd y talwrn ac aeth popeth yn fwy agored.

Yn ymennydd y cyfrifiadur, neu gyfrifiaduron (ac mae yna lot ohonyn nhw), mae yna algorithmau, neu 'algos' fel y'u gelwir, ac mae'r rheini'n gallu gwylio tueddiadau yn yr holl farchnadoedd a symud arian yn ôl a blaen i fanteisio ar gynnydd neu gwymp, a gallan nhw wneud hynny'n llawer mwy cyflym nag y gall unrhyw fod dynol, heblaw am rywun fel Tosh, neu Joshua Davies i roi ei enw llawn iddo.

Roedd ei rieni wedi sylweddoli bod rhywbeth yn wahanol am Joshua o'r cychwyn. (Ddefnyddion nhw erioed yr enw Tosh; rhywbeth a ddatblygodd trwy ei gyfoedion yn yr ysgol oedd hynny.) Dysgodd ei dablau yn fuan wedi ei ben blwydd yn dair oed, a hynny heb ei gymell ganddyn nhw. Y sôn oedd mai rhyw degan dysgu rhifo oedd yn gyfrifol. Yn wyth oed gallai eich hysbysu o ddiwrnod eich geni dim ond o gael gwybod y dyddiad, ac nid oedd byth yn anghywir. Sylweddolwyd yn gynnar fod ganddo gynneddf arbennig mewn mathemateg ac enillodd radd A* TGAU yn y pwnc yn ei flwyddyn olaf yn yr ysgol gynradd heb gael nemor ddim hyfforddiant i gyflawni hynny. Roedd yn eistedd gyda'r dosbarth safon A yn yr ysgol uwchradd erbyn Blwyddyn 8 yn 13 oed, ac yn rhagori ar ymdrechion gweddill y disgyblion. 'Ddysges i fawr ddim iddo fe,' oedd sylw ei athro Mathemateg. 'Dysgu fe'i hun wnaeth e.' Enillodd ddwy radd A (Pur a Chymhwysol), er iddo adael pob arholiad wedi llai nag awr o ysgrifennu. Digon cyffredin oedd e yn ei bynciau eraill gan grafu drwodd i dderbyn C mewn Cymraeg a Saesneg. Yr elfennau llafar oedd fwyaf o broblem iddo, gan nad oedd fawr o sglein ar ei gyflwyniadau, ac roedd ei sillafu mewn gwaith ysgrifenedig yn goch hefyd. Roedd elfen glir o ddyslecsia yn ôl un athrawes, er y gallai frysddarllen nofel go sylweddol ac egluro ei chynnwys yn fanwl mewn llai na hanner awr.

Allai neb ddeall o ble daeth ei sgiliau mathemategol. Doedd dim yn amlwg academaidd yn ei deulu; mecanic mewn garej yn y dref oedd ei dad a'i fam yn arlwyo mewn siop tships. I bob golwg roedden nhw'n deulu digon cyffredin yn byw mewn tŷ cyngor ar gyrion y dref. Gweithio i'r cyngor fel garddwr roedd ei frawd. Bachgen digon cyffredin yr olwg oedd Tosh hefyd, yn llipryn tal, tenau, smotiog, aflêr, yn mwynhau ambell gêm bêl-droed gyda'i ffrindiau, ond ei wir ddiléit oedd ei gyfrifiadur a'r amryfal gemau y daeth yn feistr arnynt dros y blynyddoedd. Treuliai oriau maith yn ei ystafell wely a bysedd un llaw yn dawnsio dros y bysellau a'r llall yn sglefrio'r llygoden dros ei ddesg tan oriau mân y bore, gyda'i ffocws yn hollol gadarn. Roedd miloedd yn aml yn dilyn ei fedrusrwydd dros y cyfryngau cymdeithasol. Gallai ennill arian sylweddol trwy gyfraniadau y gwylwyr hynny a thyfodd ei gronfa'n raddol, oedd yn hwb mawr at gostau prifysgol.

Roedd hi'n dipyn o fater brolio i'r ysgol ac i'w rieni pan gafodd Tosh ysgoloriaeth i Rydychen ar gyfer disgyblion llai breintiedig i astudio Mathemateg. Syfrdanwyd y darlithwyr yno gan ei fedrusrwydd â rhifau. Wedi'r arholiad, yn ystod y cyfweliad, oedd ddim yn mynd yn rhy dda, a'i ddiffyg huodledd yn dod i'r amlwg, cynigiwyd dau rif mawr iddo eu lluosi yn ei ben. Cynigiodd yntau'r ateb cywir i'r holwr cyn i hwnnw fysellu'r rhifau i'r gyfrifiannell. Roedd ei gynneddf arbennig yn amlwg i'w athrawon â'i ffocws fel feis ar unrhyw broblem – ei feddwl yn chwilen am unrhyw anghysonder neu wall. Cododd ei fri pan feiddiodd gywiro'r darlithydd ar ryw fformiwla yn gyhoeddus yn ystod darlith. Roedd Joshua yn iawn wrth gwrs, a bu'n rhaid i'r darlithydd gyfaddef y gwall yn ei resymeg. Doedd hi'n ddim syndod i neb i Tosh dderbyn gradd dosbarth cyntaf yn gymharol ddiymdrech wedi tair blynedd o astudio yn y coleg. Ond doedd ei amser yno ddim yr un hapusaf gan y teimlai'n lletchwith ymysg trendis deallus, huawdl y brifysgol â'u hacenion uchel-ael, a dihangai naill ai at ddiogelwch ei gyfrifiadur neu at ei rieni yn y Gorllewin. (Sicrhâi ei dad fod yr hen Fiesta oedd ganddo mewn cyflwr iach iddo deithio yn ôl a blaen yn ddiogel.) Roedd yn dipyn o destun gwawd i'w gyfoedion aristocrataidd Seisnig; nid oedd ganddo'r sgiliau cymdeithasol i gystadlu â'u huodledd ac anaml y gellid ei lusgo i gyfeillachu a diota gyda nhw. Roedd eu hiwmor crafog yn drech nag ef. Dyma pryd y dechreuodd ei ymagwedd tuag at y dosbarth ariannog, breintiedig hwn gorddi yn ei fron, ond ni ddywedodd air am hynny. Wydden nhw ddim am yr athrylith tanbaid oedd yn llechu yn ei benglog, ac a fyddai'n effeithio ar eu bywydau nhw i gyd rhyw ddydd.

Un gwir gyfaill a ddarganfu Tosh yn Rhydychen: Jasper Du Pont. Un oedd o anian hollol wahanol oedd Jasper, un oedd 'yn ei chanol hi' bob amser ac yn llwncdestun i bawb: yn 'Blue' rygbi, wedi areithio yn yr Undeb, yn ffraeth ac yn ferchetwr o fri, ond yn fwyaf arbennig, roedd ganddo ymennydd miniog fel nodwydd, a gallai weld fod rhywbeth arbennig yn Tosh. Digwyddodd daro i mewn i ystafell Joshua un min nos a darganfod ei gyfaill yn ei drôns a chrys pêl-droed Cymru gyda'i ben yn ei sgrin fel arfer, ond nid chwarae gêm yr oedd e'r tro hwn; o'i flaen roedd llond sgrin o sgwariau taenlen amryliw, gyda'r blychau'n fflachio ac yn newid eu lliw o dro i dro. Gwyddai Jasper yn iawn mai taenlen fasnachu'r farchnad stoc oedd hon. Roedd ar fin agor ei safn i holi pan gododd Tosh ei fys, oedd yn arwydd iddo aros eiliad cyn siarad. Ufuddhaodd Jasper tra canolbwyntiai Tosh ar y sgrin. Roedd bys ei law dde yn hofran uwchben y fysell *Return* ar ei gyfrifiadur. Aeth munudau hir heibio a bysedd ei law chwith yn drymian yn ddiamynedd ar y ddesg a Jasper yn edrych dros ei ysgwydd. Roedd gan Tosh gloc digidol ar ei ddesg; un a gafodd yn blentyn, a llaw yn chwifio yn ôl a blaen gyda phob eiliad yn hawlio amynedd. O'r diwedd, disgynnodd ei fys ar y botwm yn orchestol a throdd at Jasper gyda gwên.

'How much did you make?' holodd Jasper.

'About a grand,' atebodd Tosh.

'What!' ebychodd Jasper yn anghrediniol.

'One thousand two hundred and sixty to be precise, after commission,' ychwanegodd Tosh yn eithaf fflat.

Eisteddodd Jasper ar y gwely cyfagos yn gegrwth. 'You do this a lot?' holodd.

'Yes,' atebodd Tosh.

'You always up?'

'Mostly.'

'How much do you make?'

'Enough,' atebodd Tosh yn ddigon amwys.

'You know what my ambition is?' meddai Jasper wedyn.

'What?'

'To get you laid before you leave this place.'

'Hy!' meddai Tosh. 'You won't tell, will you?' ychwanegodd.

'Mum's the word,' meddai Jasper. 'How do you do it?'

'I see patterns and watch the "algos" thinking. The buzz is better than sex, when you win.'

'Oh,' meddai Jasper.

Roedd Tosh wedi darganfod rhywbeth mwy diddorol a llawer mwy proffidiol na chwarae gemau cyfrifiadurol dros y we.

Roedd Jasper yn fab i Marcel Du Pont oedd yn berchen ar Du Pont Investment Traders, sef cwmni oedd yn defnyddio arian pobol eraill i wneud mwy o arian iddyn nhw a chymryd tafell go sylweddol o unrhyw elw a wneid.

'You got to meet this amazing Welsh kid,' meddai Jasper wrth ei dad un diwrnod, a dyna fu dechrau gyrfa Joshua yn y byd masnachu mawr yn DIT lle gallodd fireinio ei sgiliau a masnachu gyda thipyn mwy na'r cynilion cymharol bitw oedd ganddo fe ei hun, er iddo ennill digon gyda'r rheini. Prynodd dŷ ei fam a'i dad iddyn nhw gan y cyngor ac nid oedd ganddo'r un geiniog o ddyled yn gadael y brifysgol.

Swyddfa uwchben rhesaid o siopau yn Guildford oedd ac ydy cartref DIT, yn llawn o *whizzkids* ifanc talentog, yn aml yn eu siorts yn craffu ar sgriniau trwy'r dydd a'r nos. Doedd neb yn gwisgo'n ffurfiol yno. Canlyniadau oedd yn bwysig, oedd i'r dim i Joshua, oedd â'i ben yn llawn ffigyrau ac yn hynod chwithig yn gwisgo coler a thei. Doedd amser dechrau ddim yn bwysig yno chwaith gan fod marchnadoedd stoc rownd y byd yn agor a chau ar amryfal amserau. Doedd Tosh ddim yn ffan mawr o foreau. Gwnaeth dipyn o argraff yn ei bythefnos o hyfforddiant cyn cael ei adael yn rhydd gydag arian go iawn buddsoddwyr. Masnachu gydag 'E-minis' ar y farchnad 'futures' yn Chicago roedd Tosh; roedd hynny'n ei alluogi i gyrraedd y swyddfa o'r fflat, a drefnwyd iddo gan Jasper, tua dau o'r gloch y prynhawn.

Mae'r farchnad hon yn ddirgelwch i fodau cyffredin, ond roedd hi'n gafael yn nychymyg Tosh yn llwyr. Gamblo fyddai rhai yn galw'r fasnach hon lle mae masnachwyr yn prynu a gwerthu amcangyfrif pris rhywbeth – gwenith, aur, cotwm neu olew – yn y dyfodol, ac os bydd y pris yn codi, hyd yn oed o sent neu ddwy, yn manteisio'n gyflym ar yr elw a wnaed cyn i'r pris ddisgyn eto wrth ddilyn yr 'algos'. Roedd y symiau a farchnetid yn enfawr a gallai amrywiad bychan yn y pris ddod ag elw sylweddol i'r buddsoddwr a chomisiwn i DIT yn ei sgil, a chanran o hwnnw wedyn i Tosh. Yn raddol rhoddwyd symiau cynyddol fwy iddo eu trin yn ystod ei flwyddyn gyntaf, a thyfodd ei incwm yn gyfatebol i'r llwyddiant a gâi. Byddai ambell bêl-droediwr o'r brif adran yn eiddigeddus o'r arian oedd yn llifo i'w goffrau. Eisteddai fel delw o flaen ei sgrin yn aros, gyda'r un cloc a'r llaw yn chwifio yn ôl ac ymlaen yn dal i fynnu amynedd tra arhosai am y foment iawn i brynu neu werthu. Holodd sawl un am gyfrinach ei lwyddiant. 'Patterns. Just watch the patterns,' oedd ei ateb bob tro.

Wedi dwy flynedd yn DIT roedd yn filiwnydd sawl gwaith drosodd ond chredech chi byth; yr un hen Ford Fiesta oedd yn eistedd ar y ffordd gyferbyn â'i fflat a'r un crys pêl-droed gyda 'II Bale' ar ei gefn oedd ei ddewis sartoraidd. Doedd e ddim yn ei drôns yn y swyddfa, cofiwch. Buddsoddodd mewn beic o Halfords ond doedd dim arwydd o'i gyfoeth cudd. Doedd ei wisg na'i ddulliau masnachu yn poeni dim ar Marcel Du Pont. Roedd yr arian yn llifo i'r coffrau a choffrau'r byddigions yn chwyddo hefyd.

Ond daeth tro ar fyd pan fu farw ei dad yn sydyn; trawiad ar y galon pan oedd dan gar yn ei waith. Roedd ei fam bellach ar ei phen ei hun a'i frawd erbyn hyn yn y fyddin ac yn byw ymhell o orllewin Cymru. Gofynnodd Tosh am gael gadael Guildford a pharhau i weithio o'i gartref. Roedd y pandemig wedi bod a phawb wedi gwneud hynny'n barod am gyfnod eisoes, felly rhoddwyd yr hawl iddo yn ddiymdroi. Doedden nhw ddim am golli eu hased mwyaf proffidiol a gyda chyfrifiadur a chysylltiad â'r we, pa wahaniaeth?

A dyna a fu. Gadawodd gyda'i gyfrifiadur a'i gloc am y gorllewin gwyllt o soffistigeiddrwydd Surrey.

Doedd yr ymadael yn ddim poen iddo gan mai prin y cymysgai â'r gymdeithas yno beth bynnag, heblaw am chwarae pêl-droed gyda'i gyd-weithwyr yn y maes parcio tu ôl i'r swyddfa a'i ymweliadau cyson â'r amryw leoliadau tecawê yn y dref. Gellid ei weld ar ei feic o gwmpas y parc a phrin fyddai neb wedi amau bod gan hwn filiynau yn ei amryw gowntiau ar draws y byd.

Buddsoddodd mewn carafán yn y maes carafanau gerllaw tref ei febyd; yn ddigon agos at ei fam ond yn ddigon pell i gael heddwch, ac roedd cyswllt dibynadwy â'r we. Roedd yn sicrwydd i Mavis ei fam. Golchai hi ei ddillad a dôi yntau am ginio bob dydd cyn dianc eto i ddal agoriad y farchnad yn Chicago. Ailgydiodd yn ei gyfeillgarwch â rhai ffrindiau dyddiau ysgol, er mai anaml y byddai'n mynd i gyfeillachu ar nosweithiau yn y dref. Bu sôn am garwriaeth yn datblygu rhyngddo a Nest oedd yn yr un dosbarth ysgol ag e, a'i bod wedi aros dros nos ambell waith yn y garafán. Darganfu ddiléit newydd, sef cwch hwylio, un go soffistigedig hefyd: un tua 30 troedfedd o hyd oedd wrth angor yn y bae, a brynodd gan Dai Pegler o'r clwb hwylio ger y maes carafanau. Pan oedd y gwynt yn ffafriol ar benwythnosau â marchnad S&P Chicago ar gau, gellid ei weld yn hwylio o'r aber i Fae Ceredigion. Aeth i'r afael o ddifri â dysgu'r grefft o hwylio ac ychwanegu'r holl gyfarpar mordeithio i'r cwch gyda'r un manylder a ffocws ag yr âi ati gyda'i waith. Ond yr un hen Fiesta oedd y tu allan i'r garafán.

Am tua dwy flynedd roedd bywyd yn fêl, yn eitha unig ond i'r dim i feudwy naturiol fel Tosh, ond daeth tro ar fyd pan fu farw ei fam yn sydyn. Trosglwyddodd y tŷ i enw ei frawd ar yr amod y gallai aros yno pryd bynnag y mynnai, cadw ei gyfeiriad swyddogol a chasglu ei bost yno. Talodd am yr angladd a threfnu popeth. Arhosodd e ddim yn hir i gymdeithasu yn y dafarn wedyn ond dianc cyn gynted ag oedd yn weddus i unigedd ei garafán. Efallai iddo deimlo rhyw gyfwng yn ei fywyd o fod yn amddifad a dechreuodd drin symiau o arian mwy a mwy. Doedd dim problem o ran DIT; roedd yr elw yn dal i lifo i mewn.

I egluro sut mae'r farchnad yn gweithio: bydd pob gwerthwr yn aros mewn ciw, un all fod yn eitha hir, rhywbeth fel rhes o drolïau yn mynd trwy'r til mewn archfarchnad ond i werthu y tro hwn, a phrynwyr yn disgwyl ar yr ochr arall. Mae'r 'algos' yn gwylio popeth, ac os gwelan nhw fod un o'r gwerthwyr â gwerth nwydd go sylweddol ar du ôl y ciw gwerthu maen nhw'n dechrau amau bod problem a bod y pris yn debygol o ddisgyn. Mae tipyn o banig yn gallu digwydd i werthu yn sydyn a chredwch neu beidio, gall pris nwydd arbennig ddisgyn fel craig mewn eiliadau o ganlyniad.

Ar un diwrnod tyngedfennol gyda'r marchnad-oedd yn fyrlymus o anwadal wedi ail don y pandemig a sawl gwlad yn dechrau mynd i argyfwng ariannol, casglodd Tosh lond trol o nwyddau oddi wrth amryw fuddsoddwyr, rhyw saith can miliwn i gyd

yn ôl pob sôn, a mynd i aros ei dro yn y ciw. Roedd
y farchnad yn nerfus i ddechrau ond pan welodd yr
'algos' y swmp oedd i'w werthu gan un gwerthwr ar
y diwrnod hwn, aeth y sylw yn wewyr a'r gwewyr
yn drallod ac aeth panig fel tân gwyllt trwy'r
farchnad i gyd bod rhywbeth ar droed a phawb yn
sydyn am werthu eu hasedau fel lladd nadroedd cyn
iddyn nhw fod yn ddiwerth. Disgynnodd gwerth
biliynau o 'futures' a chyfranddaliadau cyffredin
fel afalau mewn corwynt ac aeth graddfeydd y
FTSE, y Dow a'r S&P trwy'r llawr i lefel na welwyd
ers 2008. Doedd hyd yn oed Tosh ddim wedi rhag-
weld y byddai'r fath adwaith gadwyn wedi digwydd
ond cadwodd at ei gynllun. Cyn cyrraedd y dibyn,
tynnodd Tosh y cais i werthu cyn mynd drosodd er
y golled dybiedig i'r ased. Fel y tybiai Tosh, roedd yr
'algos' yn adweithio cyn gynted ag erioed ac wedi
sylweddoli eu cam o fewn munudau a dechreuodd
y farchnad arafu, ac o fewn tipyn dechrau adennill
y colledion a wnaed, ond roedd hi'n rhy hwyr
i rai oedd heb gadw eu nerf ac wedi gwerthu'n
ddianghenraid, tra oedd Tosh a'r rhai oedd wedi dal
eu dŵr yn gweld eu buddsoddiad yn dechrau codi
o'r cwymp unwaith eto. Roedd masnachwyr rownd
y byd yn tynnu gwallt eu pennau, a'r rhai oedd heb
werthu yn dal eu hanadl wrth wylio'r graff yn codi'n
gyndyn – pob cwymp yn sydyn, pob esgyniad yn
boenus o araf. Byddai colled o saith can miliwn yn
ddigon i sigo DIT a gwneud pob buddsoddwr yno'n
fethdalwr.

Tric Tosh oedd rhedeg yr ochr arall i'r dibyn i ddal y buddsoddiadau a'u prynu am bris isel, a gwneud hynny gan gamblo â'i arian ei hun. Rhyw 'fenthyg' buddsoddiadau roedd e'n ei wneud. Gallai elwa ar unrhyw gynnydd ond byddai'n rhaid talu am unrhyw golledion. Roedd i bob pwrpas wedi taflu saith deg miliwn o'i amryw ffynonellau fel sicrwydd i'r pair. Dewisodd ei foment i neidio i'r farchnad brynu. Aeth ei holl fuddsoddiadau i'r coch am bum munud cyfan gyda cholled o ugain miliwn. Doedd y gambl ddim yn edrych yn dda. Roedd y cloc yn tician a'r llaw yn chwifio arno ac roedd ei fysedd yn drymio'n rhythmig ar y ddesg gyda'r bocsys yn gyndyn o newid lliw. Fesul un aeth y bocsys ar y sgrin o goch i las fel roedd y rhif ym mhob un yn dechrau tyfu eto. Roedd hi'n bum munud arall cyn iddo adennill ei fuddsoddiad gwreiddiol. Roedd gwerth y farchnad wedi ei dorri yn ei hanner mewn munudau, ond roedd bellach yn cynyddu'n raddol tuag at y gwerth gwreiddiol a'r momentwm yn y diwedd yn ei chodi hyd yn oed ychydig yn uwch na chyn y cwymp. Tynnodd Tosh saith can miliwn y buddsoddwyr o'r pair wedyn; caent gynnydd digon derbyniol ar y diwrnod. Ond yn bwysicach i Tosh, roedd ei ffortiwn ei hun wedi dyblu mewn hanner awr er bod miloedd o fuddsoddwyr dros y byd, â'u ffydd yn yr 'algos', wedi colli ffortiwn yn yr un cyfnod byr. Chwythodd Tosh wynt o'i fochau ac eistedd yn ôl yn ei gadair. Aeth ati wedyn i anfon ei gyllid ychwanegol i'r amryw fanciau dros y byd. Roedd gwylio'r patrymau a'u hadnabod wedi gweithio. Cododd i wneud cwpanaid o goffi.

Roedd hi'n anorfod bod rhywun yn mynd i chwilio am achos y cwymp, a doedd hi ddim yn anodd darganfod mai masnachwr yn stabl DIT yn Guildford oedd yn gyfrifol am y gwreichionyn a gyneuodd dân ym marchnadoedd Chicago a thros y byd. Daeth yr FBI i guro ar y drws o fewn wythnosau. Roedd DIT yn amharod iawn i dderbyn unrhyw gyfrifoldeb am y camwedd ond yn barod iawn i bwyntio bys at y 'rogue trader' yng ngorllewin Cymru. Doedd hi'n fawr o dro cyn i chwech o blismyn Dyfed Powys a'r ddau swyddog o'r FBI fod yn gwasgu ar gloch drws tŷ mam Tosh. Doedd dim ateb. Doedd Mrs James rhif 3 fawr o help yn cadw lleoliad mab afradlon drws nesaf yn ddirgel, ond wyddai hi ddim pa garafán i fynd i chwilio iddi.

Cafodd y plismon aeth i holi yn y swyddfa wybod mai carafán D4 oedd trigfan Joshua Davies. Roedd cyfreithwyr yn llysgenhadaeth UDA yn Llundain eisoes yn hogi eu pensiliau ar gyfer yr achos i estraddodi'r dihiryn i fynd o flaen ei well yn Chicago.

Yn ddiarwybod i'r plismyn roedd Tosh wedi gosod cloch oedd yn ffilmio unrhyw un oedd yn galw i'r tŷ ac yn ei anfon i'w ffôn pe digwyddai iddyn nhw ei chanu. Doedd llun nifer o fois mewn siwtiau plismyn ar ei ffôn ddim yn argoeli'n dda iddo.

Erbyn i'r fintai fechan o heddweision a'r FBI gyrraedd D4 doedd dim sôn am Tosh. Roedd ei gyfrifiadur wedi mynd, a'r cwbwl oedd ar ôl oedd y cloc gyda'r llaw yn chwifio yn ôl ac ymlaen atyn nhw yn gwatwar.

Pe baen nhw wedi edrych, roedd cwch yn hwylio heibio'r ffenest ar y llanw i Fae Ceredigion.

Rhyw ddau fis yn ddiweddarach daeth amlen i dŷ Nest ac ynddi roedd tocyn awyren dosbarth cyntaf o Heathrow i Ynysoedd y Cayman. Wn i ddim a aeth hi.

Y TRÊN

EISTEDDODD Graham ar y fainc yr ochr draw i'r sied. Eisteddodd arni i aros. Roedd hi'n chwarter i ddeg ac wedi hen dywyllu ar noson fwyn ddiwedd Awst. Roedd y penderfyniad wedi ei wneud.

Y sied oedd ei hoff fangre. Mae hi'n fwy o gaban haf nag o sied ac roedd wedi dechrau treulio mwyfwy o amser ynddi yn y misoedd diwethaf. Mae'r sied gryn bellter i lawr ar hyd rhimyn hir o ardd tu cefn i'r tŷ teras sylweddol, eitha crand a adeiladwyd yn nauddegau'r ganrif ddiwethaf ar un o'r ffyrdd allan o'r dref. Digon o le i'w fam yng nghyfraith; musgrell ei chorff ond yn ddigon miniog ei thafod o hyd. Hi oedd y prif reswm iddyn nhw symud yno rhyw bum mlynedd ynghynt. 'Angen mwy o le,' oedd sylw Edith ei wraig. Cytunodd Graham yn ufudd. Fu'r berthynas rhyngddo ef a'i fam yng nghyfraith ddim beth fasech chi'n ei alw'n fynwesol ac roedd y 'digon o le' yn swnio'n syniad go dda, os oedd rhaid

i'r fenyw ddod i fyw atyn nhw wedi marwolaeth tad
Edith. Roedd y sied yn estyniad pellach ar y 'mwy o
le'. Y 'clinshar' ar y dewis o dŷ i Graham oedd y ffaith
bod hen reilffordd yn rhedeg trwy waelod yr ardd,
ac roedd y pant, lle'r arferai trenau dramwyo, i'w
weld yn glir o hyd, er ei fod dan fieri ac ysgall mall,
ond dôi'r estyniad hwn i'w berchnogaeth fel rhan
ddiddorol o'r contract.

I egluro: manylwr fu Graham erioed; cynneddf a
ddaeth o ddefnydd iddo yn gweithio i swyddfa'r dreth,
un a hyrwyddodd ei ddyrchafu yn y weinyddiaeth er
ei bersonoliaeth ddiymhongar. Roedd ei drylwyredd
yn amhrisiadwy. Cafodd bensiwn digon parchus.
Wedi ymddeol, darganfu nad oedd ganddo unrhyw
beth i fanylu arno bellach, ac yn sgil y cyfwng yma
yn ei fywyd trodd o ddifri at ddiddordeb a fu ganddo
ers ei ieuenctid, sef hanes lleol, ac yn benodol hanes
rheilffyrdd lleol. Tyfodd y diddordeb yn dipyn o
obsesiwn ganddo. Ymunodd â'r gymdeithas hanes yn
y dref a gyda'r 'ramblers' oedd yn amlach na pheidio
yn dewis hen reilffyrdd i'w dilyn gan fod sawl un yn
llai na sionc, a rheilffyrdd yn dueddol o fod yn eitha
gwastad. Roedd bod yn berchen ar ran o hen lein yn
dipyn o wefr felly.

Daeth y sied yn gilfan lle cadwai ei lyfrau a'i
fapiau yn ddestlus allan o ffordd Edith. Roedd hen
gatalogau taith ac amserlenni wedi eu gosod yn
drefnus mewn droriau a hen luniau du a gwyn di-
rif a phosteri dros y waliau. Roedd hen lamp drên o
oes Fictoria ar ei ddesg ac arwydd ar gyfer y 'Gents',

a ddarganfu mewn sgip, yn grair gwerthfawr uwch-ben y ffenest.

Eginodd y diddordeb hwn pan oedd yn fachgen yn casglu rhifau ac enwau trenau. Roedd enwau fel Howard of Effingham, Bihar and Orissa a Zanzibar ar y platiau pres ar ochrau'r trenau stêm swnllyd, sgleiniog a ddôi trwy orsaf drenau bro ei febyd wedi ei hudo. Gwyliai nhw'n ymadael wedyn ar hyd y trac unionsyth i'r anfeidredd pell. Roedd y cewri haearn hyn yn cludo rhamant pur. Dychwelodd rhamant ei fachgendod wedi iddo ymddeol. Doedd Edith ddim mor frwdfrydig, er iddi hi ddioddef sawl taith drên i leoliadau anghysbell gyda'i gyd-frwdfrydigion. O leiaf gallai siopa ar ôl cyrraedd. Doedd hi ddim y rhy hapus chwaith pan benderfynodd Graham fuddsoddi mewn cyfranddaliadau mewn trên stêm ar lein dreftadaeth. 'Mil o bunnau am lwyth o sgrap,' oedd ei sylw hi, ond roedd e wedi cytuno i symud tŷ o leia. Dôi ei gŵr adref yn olew a pharddu i gyd wedi treulio dydd Sadwrn yng ngorllewin Cymru yn atgyweirio rhyw ran neu'i gilydd o'r trên, ond roedd yn wên i gyd hefyd ac roedd tân yn ei lygaid.

Doedd y lein ar waelod gardd Graham ddim yn un ecsotig o fath yn y byd, yn cludo teithwyr i bedwar ban. Lein oedd hi i gario glo o'r pwll rhyw bum milltir i ffwrdd i lawr yr inclein serth i waelod y cwm. Roedd rhai trenau yn cario pobol hefyd a dros y blynyddoedd datblygodd hi'n lein go brysur. Ond gyda dirywiad y diwydiant glo wedi'r Ail Ryfel Byd, daeth dirywiad yn ei phoblogrwydd hi hefyd,

ac fe'i caewyd ryw dipyn cyn i Mr Beeching ddod
â'i fwyell a chau llawer o reilffyrdd Prydain yn y
chwedegau. Damwain oedd achos y penderfyniad;
damwain a ddigwyddodd un noson pan aeth trên
yn bendramwnwgl i hafn ar waelod yr inclein wedi
i'r brêc fethu. Lladdwyd y gyrrwr a'r taniwr. Doedd
dim llawer o deithwyr ar y trên y noson honno ac
wrth lwc ni laddwyd neb arall. Yn sgil y digwyddiad,
barnwyd na fyddai'n gwneud synnwyr economaidd
i atgyweirio'r difrod a wnaed i'r lein.

Darganfu Graham mai Bill Matthews a Harold
Evans oedd ar y ffwtplet y noson dyngedfennol
honno. Roedd erthygl helaeth a lluniau go ddramatig
yn yr *Echo* y diwrnod wedyn. Un o'r hen 'Hall Class'
oedd yr injan. Canfu Graham yr hen rifyn yn y
llyfrgell. Yn ôl yr erthygl, roedd llaw Bill Matthews
yn dal i gydio'n dynn yn y brêc pan ddaethpwyd o
hyd i'w gorff yn y llanast. Olew wedi gollwng oedd
achos y ddamwain yn ôl yr ymchwiliad, meddai
erthygl arall. Darganfu hefyd hen amserlen British
Rail a restrai'r union daith oedd i gyrraedd Caerdydd
am chwarter i un ar ddeg y noson honno. Roedd ei
chwilfrydedd a'i ddychymyg wedi'u tanio.

Roedd pridd a thyfiant degawdau dros y lein,
ond wedi i'r tywydd wella ddechrau'r flwyddyn aeth
Graham ati i glirio'r anialwch o ddrain. Dechreuodd
balu yn y pridd i weld a oedd olion pellach o'r rheiliau.
Llamodd ei galon pan drawodd ei raw ar rywbeth
a swniai'n hynod o debyg i fetel. Roedd ar ben ei
ddigon pan symudodd fwy o'r pridd a darganfod yr

hen reilen yn y baw, braidd yn rhydlyd, a'r sliperi pren yn gyfan. Gweithiodd yn ddygn trwy weddill y gwanwyn i ddadorchuddio a glanhau'r rheiliau i gyd; ei reilffordd bersonol ef ei hun, er ei bod wedi ei chau i mewn rhwng y mieri yng ngerddi ei gymdogion. Roedd hi'n ddefod wedyn i unrhyw ymwelydd â'r tŷ ddioddef y 'guided tour' o'r lleoliad cysegredig.

Symudodd y fainc o du blaen y sied i'r tu ôl a wynebai'r rheilffordd, a'i ddiléit oedd eistedd arni ar hwyrddydd haf gyda gwydraid o gwrw â'i ddych-ymyg yn drên a gwylio'r haul yn machlud rhwng y coed oedd yn fframio'r olygfa gyfan. Byddai ystlumod yn dod yn gwmni iddo. Gallai glywed traffig y dref yn ddwndwr tawel a sŵn y trenau modern yn gadael i fynd trwy'r twnnel o'r orsaf, rhyw hanner milltir i ffwrdd. Gwyddai amser pob un a dôi sŵn corn yn eglur dros yr awyr cyn i bob trên gychwyn ar ei daith i'r cyfeiriad arall, gyda'r sŵn yn pylu wrth ymbellhau.

Deg o'r gloch yn union oedd hi pan glywodd y chwib am y tro cyntaf, a sŵn trên stêm yn atgyfnerthu i dynnu ei lwyth. Clywodd hefyd hercian y cerbydau ar y cledrau. Roedd y sŵn yn dynesu y tro hwn; pwffian sydyn i ddechrau wrth i'r trên gyflymu a phwffian mwy rhythmig wedyn wedi torri inertia'r llwyth. Ysgydwodd Graham ei ben yn methu credu'r hyn a glywai. Pylodd y sŵn yn sydyn a bu tawelwch. Ni welodd ddim.

Cododd a brasgamu i'r tŷ a'i wydryn yn ei law. 'Glywest ti hwnna?' holodd Edith oedd yn ei choban ar ei ffordd i'r gwely.

'Clywed beth?' holodd hi.

'Y chwiban yna a swˆn trên stêm yn dod, y ffordd yma.'

'Beth oedd 'da ti yn y gwydr 'na?' oedd ymateb Edith a throi i fynd i fyny'r grisiau.

Roedd ymennydd Graham yn berwi. Siawns na chlywodd hi. Roedd o'n ddigon clir, meddyliodd. Rhoddodd ei ben allan o'r drws i wrando eto ond roedd y noson yn dawel. Aeth yntau am ei wely yn pendroni. Bu'n troi a throsi am hydoedd yn amau ei grebwyll, tan iddo gael pwniad cadarn gan Edith a llwyddodd i gysgu wedyn.

Eisteddodd yn yr un lle y noson wedyn gyda'i wydryn yn ei law fel y noson cynt. Roedd ffenestri'r drysau Ffrengig yn llydan agored ar noson glòs fel y gallai Edith glywed os byddai swˆn. Am ddeg o'r gloch yn union clywodd y chwiban a swˆn y trên yn cychwyn fel o'r blaen gyda swˆn yr olwynion trymion yn dynesu, ond heno roedden nhw'n dal i ddod, a dod, a dod, tan fod swˆn y trên yn pasio yn union o'i flaen ar ei gledrau personol ef ei hun, ond doedd dim i'w weld: dim golau o'r cab na'r cerbydau; dim mwg na stêm na'r arogl hudolus yna a ddôi o'r hen drenau. Eisteddodd yno'n gegrwth tan i'r swˆn bylu i gyfeiriad yr inclein.

Cododd a rhedeg at y tŷ a chamu trwy'r drysau Ffrengig. 'Mi glywest ti hwnna, siawns,' meddai wrth Edith oedd yn eistedd yn ei choban â'i bryd ar y teledu a ddim yn rhy bles o gael ei gŵr yn tarfu ar ei mwynhad.

'Ti ddim wedi clywed y trên yna eto, wyt ti?' holodd hi.

'Ydw. Mi ddaeth o'r holl ffordd trwy'r ardd gefn y tro yma. Rhaid bod ti wedi clywed.'

Ysgydwodd Edith ei phen ac edrych yn ddrwg-dybus iawn ar ei gŵr. 'Arghh!' ebychodd Graham a throi i gyfeiriad y gegin ac Edith yn edrych yn syn ar ei ôl. 'Na, na, na,' clywodd ei gŵr yn grwgnach. 'Mae hyn yn sili. Yn hollol, hollol sili!'

'Ydy, yn hollol sili,' gwaeddodd hi. 'Mae'r blymin trêns hyn yn obsesiwn 'da ti. Callia.'

Fu dim mwy o drafodaeth am y peth y noson honno, ond roedd Edith yn ddrwgdybus iawn.

Roedd Mr Llewelyn drws nesaf yn yr ardd y bore wedyn yn tocio'r gwrych. Ymlwybrodd Graham ato. Roedd perthynas ddigon cyfeillgar wedi datblygu rhyngddo ef a'r hen golier dros y blynyddoedd, er bod ambell gam gwag wrth gyfathrebu'n digwydd rhwng acen ogleddol Graham a Gwenhwyseg yr hen ddyn.

'Mi fydd rhaid i mi wneud yr ochr yma wedyn,' meddai Graham yn eitha di-hid.

'Jest cymoni, fachan, jest cymoni,' atebodd yr hen ddyn a dal ati i docio.

'Dwedwch i mi,' meddai Graham, 'glywsoch chi ddim byd anghyffredin yn yr ardd neithiwr?'

'Fi? Yn yr ardd? Na, sai'n meddwl 'ny. Pryd?'

'Tua deg o'r gloch.'

'Sŵn beth?'

'Trên.'

'Oe'n i yn y gwely. Methu cysgu. Ffenestri ar led. Rhy dwym, rhy dwym o beth yffach. Wy'n gallu clywed swn y trêns yn y stesion bob nos ond ddim byd yn yr ardd. So trêns yn dod trwy'r ardd yn aml dyddie hyn, gw'boi,' ychwanegodd â gwên gellweirus dros y gwrych. 'Fi'n eu cofio nhw'n iawn amser maith yn ôl, ond does dim byd nawr, trysta fi.'

'Wn i,' meddai Graham yn teimlo braidd yn dwp am ofyn.

'Imajineshon yn beth mawr, fachan. Mae'r stwff trêns yn y sied 'na a'r lein 'na tu ôl fan'na sy 'da ti yn chwarae triciau arnat ti,' meddai'r hen ddyn. 'Ond wyddost ti ddim,' ychwanegodd gyda gwên ddrygionus a chodi ei aeliau.

'Ia wir. Ia wir,' meddai Graham. 'A' i at ochr yma'r gwrych fory.'

''Sdim brys. 'Sdim brys,' meddai'r hen wr.

Ciliodd Graham a mynd at ei fainc i bendroni. Rhoddodd ei law ar ei dalcen a chau ei lygaid. Roedd golau dydd yn dod â rheswm i bopeth. Rhaid mai 'imajineshon' oedd y cyfan.

Roedd y dynfa yn ormod, ac am bum munud i ddeg roedd Graham yn eistedd ar ei fainc yn aros. Roedd yn gobeithio na chlywai ddim ac y gallai gysgu'n dawel. Roedd Edith wedi troi ei llygaid fry wrth ei weld yn ymlwybro i lawr yr ardd ac aeth am ei gwely i ddarllen.

Am ddeg o'r gloch yn union, clywodd swn y

chwiban a phwffian sydyn y peiriant a'r rhythm yn gostegu wedyn fel o'r blaen. Caeodd Graham ei lygaid i geisio cau'r twrw o'i ben, ond daeth y trên a'i ddwndwr yn agosach ac agosach ac wedyn heibio iddo ac yntau a'i ben yn ei ddwylo. 'Na, na, na!' griddfanodd yn dawel. Clywodd y chwiban eto fel yr âi i gyfeiriad yr inclein yn y pellter. Doedd dim pwynt sôn am hyn wrth neb, neb o gwbwl, ond roedd yr ateb yn glir; rhaid oedd gwaredu'r ddrychiolaeth hon o'i ben, rywsut.

Y diwrnod wedyn roedd Edith wedi sylwi bod golwg wahanol ar wep ei gŵr wrth gario ei brecwast i'w mam yn y fflat ar yr ail lawr. Prin fu'r drafodaeth rhyngddyn nhw yn ystod y dydd. Roedd ei feddwl ymhell. Aeth Graham ati i docio'r gwrych yn ôl ei addewid i Mr Llewelyn. Torrodd y lawnt yn ogystal.

Digon tawel oedd hi dros swper hefyd gyda'r fam yn bresennol. Prin fyddai cyfraniadau Graham i drafodaeth y bwrdd bwyd beth bynnag.

'Yn mynd i wrando am y trên heno?' holodd Edith.

'Yn hwyrach, hwyrach,' oedd unig ymateb Graham a rhoi darn o frocoli yn ei geg.

Felly ar y fainc roedd Graham yn aros am chwarter i ddeg. Gallai glywed adenydd yr ystlumod yn yr awyr dawel fwyn uwch ei ben a chymerodd ddracht o'r gwydraid helaeth o wisgi a ddaeth gydag ef heno. Roedd hi fel y fagddu dan y coed ond roedd golau melyn strydoedd y dref yn gefndir pŵl. Edrychodd ar ei watsh â'i bysedd gloyw ac aros i'r eiliadau a'r munudau dreiglo heibio fesul un.

Canodd y chwiban am ddeg o'r gloch yn union. Gorffennodd Graham weddillion ei wydraid a phlannu'r gwydr ar y fainc wrth ei ochr. Rhaid oedd profi mai ffantasi oedd y cyfan, a chamodd i lawr i'r hafn a sefyll a'i goesau ar led ar y cledrau i aros. Gallai glywed y trên yn agosáu. Roedd cryndod yn y rheiliau dan ei draed. Cododd ei freichiau fry.

Cafodd Edith dipyn o sioc o ganfod nad oedd Graham wrth ei hochr yn y gwely y bore wedyn. Hi fyddai fel arfer yn codi gyntaf gan mai hi fyddai'r cyntaf i glwydo bob nos. Galwodd amdano, ond doedd dim ateb. Gwelodd fod y drws cefn yn llydan agored pan aeth i lawr i'r gegin a chamodd i haul y bore'n betrus. Cerddodd yn araf i lawr yr ardd. Darganfu wydryn Graham ar y fainc cyn camu at ymyl yr hafn a darganfod ei gŵr ar ei gefn yn welw rhwng y rheiliau gyda'r olwg fwyaf dychrynllyd wedi ei serio ar ei wyneb. Daeth sgrech hir o safn Edith.

Trawiad ar y galon oedd achos y farwolaeth yn ôl adroddiad y post mortem. Nid oedd unrhyw arwydd o anaf ar ei gorff ond roedd y geiriau 'death due to unspecified trauma' yn hynod amwys. Beth fu'n benbleth i'r patholegydd oedd y rhimyn tenau o olew oedd yn llinell syth o'i gorun i'w sawdl.

Soniodd Mr Llewelyn yr un gair am eu trafodaeth y diwrnod cynt.

DANNEDD TAID

ERS dod yn daid fy hun sawl gwaith erbyn hyn, rwy wedi dod yn ymwybodol fod y wefr o fynd i weld Taid yn pylu fel yr â amser yn ei flaen a'r wyrion yn tyfu a phethau a phobol eraill yn dod yn llawer pwysicach yn eu bywydau. Pyla'r cof am y dyddiau melys hynny yn raddol bellach.

Rhyw wyth oed oeddwn i pan fu farw fy nhaid i ac mae 'nghof fi amdano braidd yn niwlog a dweud y lleia. Dim ond yn achlysurol y byddwn i'n mynd efo Mam i'w weld o ond roedd o bob amser yn falch o 'ngweld i yn ôl pob sôn. Dw i ddim yn ei gofio fo'n siarad rhyw lawer. Tŷ cownsil yn y llan oedd ganddo fo a Nain wedi iddyn nhw adael y ffarm. Mi alla i ei gofio fo yn eistedd yn ei gadair fawr bren o flaen y tân; un ddigon anghyfforddus yn fy marn i. Prin roedd o'n codi ohoni gan fod cryd cymalau yn sgil blynyddoedd o godi gwair a godro wedi fferru ei esgyrn at ei gilydd. Roedd cerdded felly yn araf, anodd a phoenus. Heddiw mi fyddai o wedi cael cluniau newydd, ond ym mhumdegau'r ganrif ddiwetha doedd llawdriniaeth o'r fath ddim yn bod a bodlonodd ar ei segurdod gorfodol. Roedd ganddo fo lond pen o wallt gwyn, trwyn fel eryr a'r clustiau mwya welais i erioed. 'Pam mae'ch clustiau chi mor fawr, Taid?' holais o un tro. 'Mae dy glustiau di'n dal i dyfu ar hyd dy oes di,' meddai'n wybodus. Roedd rhywun wedi dweud wrtha i yn yr ysgol bod clustiau rhywun yn dal i dyfu ar ôl iddo farw hyd yn oed, ac roedd gen i'r darlun yn fy mhen wedyn na allwn i mo'i wared o Taid yn ei arch â chlustiau fel eliffant. Mi fues i'n tsiecio yn y drych am flynyddoedd wedyn i weld a oedd fy nghlustiau innau'n dangos arwyddion o dyfiant anarferol. Doeddwn i ddim yn meddwl bod Taid wedi bod yn ifanc erioed, ac roedd hi'n syndod i mi ei weld o yn ei lun priodas yn heini a llon efo Nain wrth ei ochr y tu allan i Gapel Cefn. Roedd o'n edrych yr un ffunud â Spike Milligan.

Doedd ganddo fo'r un dant yn ei ben gan fod deintyddion yr oes honno'n tybied bod dannedd gosod yn llawer gwell na rhai naturiol, er mor anghyff-orddus oedden nhw i'r sawl oedd yn eu gwisgo, ac o'r herwydd roedd Taid yn aml yn eu tynnu a'u gosod nhw ar y silff ben tân, mewn darn o bapur newydd i'w cuddio rhag y byd. Yn aml byddai'n cysgu yn ei gadair wedyn â cheudwll diddannedd yn llydan agored yn ei ben yn chwyrnu'n braf. Yn anffodus, roedd Nain yn sticlar am daclusrwydd. Mi allwch chi weld be sy'n dod; yn ddiarwybod heb sylweddoli beth oedd yn y darn aflêr o bapur ar y silff, un tro fe daflodd hi'r papur a'r dannedd oedd ynddo i'r tân. Doedd Taid ddim yn hapus pan ddeffrodd o. Roedd hi'n fis a mwy cyn iddo fo gael set arall, ac am y rheini rydw i am sôn.

Doedd y dannedd gosod newydd ddim yn ffitio'n rhy dda, ac mi fydden nhw'n clecian pan fyddai o'n bwyta ac yn aml yn disgyn yn ei geg wrth iddo fo siarad. Daeth yn feistr ar eu rhoi'n ôl yn eu priod le gyda'i dafod. Yn wir, penderfynodd y gallai'r llacrwydd fod yn dipyn o nodwedd a gallai wneud sŵn clic-a-di-clac yn ei geg, fel rhywun yn chwarae castanéts. Credai ei fod yn plesio plant efo'r sŵn braidd yn macabr hwn. Doedd plant ddim mor siŵr. Roedd o wrth ei fodd yn eu clecian nhw'n ddisymwth pan oeddwn i'n digwydd pasio i'r gegin gefn, a minnau'n stopio a throi i edrych yn sydyn. Byddai yntau'n edrych yn freuddwydiol ddiniwed trwy'r ffenest.

'Be?' holai wrth droi ata i.

'Chi wedi gwneud y clic-a-di-clac yna eto, on'd do, Taid.'

'Pwy, fi? Na,' atebai gyda gwên ddanheddog.

Bu farw Taid tua 1958, dw i'n meddwl, a Nain yn fuan wedyn. Treuliodd gryn amser mewn cartref gofal wedi i'w gyflwr waethygu. Theimlais i mo'r golled yn fawr.

Flynyddoedd yn ddiweddarach, a minnau yn y coleg erbyn hyn, roeddwn i ar fy ffordd i nôl ffrind i mi o'r stesion yng Nghaerfyrddin; ar nos Sul ym mis Rhagfyr, dw i'n meddwl. Mini oedd gen i, ddim y cludiant mwya dibynadwy ond mi oedd o'n gwneud y tro fel arfer. Roedd hi wedi bod yn tresio bwrw trwy'r dydd ac am wythnos gyfan o beth ydw i'n ei gofio, ac roedd y glaw yn drwm o hyd wrth i mi fynd ar fy nhaith. Efallai eich bod chi'n adnabod y ffordd i lawr heibio Cynwyl Elfed, ffordd gyfyng a throellog a choed ar bob ochr ac afon Gwili islaw a thipyn o ddibyn i lawr ati. Mae rheilffordd yr ochr draw. Mae'r ffordd yn ddigon tywyll yng ngolau dydd yn yr haf, ond tua naw o'r gloch yn y gaeaf roedd hi fel bol buwch a fawr neb arall o beth welwn i wedi mentro'r ffordd honno ar y fath dywydd.

Rhyw hanner milltir roeddwn i wedi mynd i lawr y ffordd o'r pentref pan benderfynodd y mini gambihafio. Roeddwn i wedi mynd trwy sawl pwll go ddwfn ar hyd y ffordd, oedd yn amlwg wedi cael effaith andwyol ar rywbeth yng nghrombil y peiriant. Pesychodd ambell waith i ddechrau ac roeddwn i'n gobeithio y byddai dal ati'n clirio beth bynnag oedd yn achosi'r anhwylder. Thyciodd hynny ddim a phenderfynodd y mini druan roi'r ffidil yn y to. Roedd cilfach gyfleus gerllaw ac roedd digon o fomentwm gen i i'w chyrraedd. Grêt! meddyliais. Ceisiais danio'r injan sawl gwaith ond gallwn glywed bod y batri'n dechrau colli egni. 'Grêt!' medde fi eto. Mae'n siŵr i ambell ebychiad dethol arall ddianc o'm safn hefyd.

Doedd dim amdani ond cerdded yn ôl i Gynwyl

gan fod bocs ffôn yno. Gallwn ffonio'r orsaf o leia. Byddai ffôn symudol wedi bod yn handi, ond yn 1970 doedd neb wedi meddwl am y fath declyn. Roedd hi wedi stopio bwrw a'r gwynt wedi gostegu. Caeais ddrws y car yn glep a dechrau cerdded.

Roedd hi fel y fagddu. Gallwn glywed rhu yr afon islaw oedd yn help i 'nghadw fi ar y trywydd ond roedd rhaid i mi droedio'n ofalus ar hyd y tarmac. Wedi sathru mewn sawl pwll o ddŵr, barnais mai doeth fyddai cadw un llaw ar y gwrych neu'r wal ar ymyl y ffordd i'm harwain i i'r cyfeiriad iawn, a dyna wnes i gan gamu'n betrusgar ymlaen. O'r diwedd gallwn weld golau'r pentre o 'mlaen i yn y pellter. Yn sydyn clywais 'clic-a-di-clac' y tu ôl i mi. Troais yn sydyn i edrych. Doedd dim i'w weld yn y düwch. Troais yn ôl i barhau â'r daith. Daeth y 'clic-a-di-clac' eto. Fferrais gan graffu'r tu ôl i mi i'r tywyllwch a gweld dim.

Yn sydyn gallwn weld golau'n dod ar hyd y ffordd o gyfeiriad Caerfyrddin. Achubiaeth, meddyliais a sefais yn stond i aros amdano. Chwifiais yn wyllt wrth iddo ddynesu. Arhosodd y lorri a sefais yng ngolau ei lampau. Gallwn weld mai lorri'r cownsil oedd hi. Daeth y gyrrwr o'r cab i'm cyfarch.

'Ti'n olreit?' holodd.

'Wedi torri i lawr, yn cerdded yn ôl i'r pentre,' medde fi. 'Siawns am lifft?'

'So ni'n mynd i fynd i'r pentre heno, gw'boi,' meddai.

'Pam?'

'O, ti ddim yn gweld?'

'Gweld be?'

'Hwnna,' meddai'r gyrrwr a chyfeirio y tu ôl mi.

Troais i edrych, ac yng ngolau lampau'r lorri gallwn weld bod y ffordd wedi diflannu i geudwll a rhimyn o fwd wedi slefrian i lawr y llethr cyfagos.

'Blydi hel!' medde fi. 'Dw i newydd ddod ar hyd y ffordd yna.'

'Lwcus, boi. Dere, mae rhaff 'da fi. Gei di tow 'da fi i Gaerfyrddin.' Gallwn weld goleuadau pobol o'r pentref wrth iddyn nhw gerdded at y ceudwll yr ochr draw. 'Bydd yr heddlu 'ma cyn bo hir, fi'n credu,' meddai'r gyrrwr. Gosododd nifer o arwyddion yng nghanol y ffordd i rybuddio unrhyw deithwyr eraill. Esgynnais i yn ddiolchgar i'r cab, ond cyn cau'r drws, clywais 'clic-a-di-clac' yn y tywyllwch. Troais i edrych ond doedd neb yno.

Y GARREG

Hen bethau anghofiedig

CAE Meinir oedden ni'n galw'r cae o du ucha'r ffordd yn arwain at ein ffermdy ni. Roedd yr enw yn deillio o ddau air, 'maen' a 'hir', oedd wedi cyfuno'n Meinir dros y blynyddoedd. Carreg Grwca oedd enw'r fferm a fu yn ein teulu ni ers cyn cof. Doedd tarddiad enw'r lle ddim yn anodd ei ddirnad chwaith, gan fod maen rhyw wyth troedfedd o daldra yn codi o'r ddaear yn hollol amlwg os digwydd i chi deithio ar hyd y ffordd gyferbyn â'r fferm.

Fe welwch chi feini mawr yn eitha aml ar lawer o dir uchel Cymru, a'r rheini fel arfer wedi eu gadael filoedd o flynyddoedd yn ôl wedi i rewlif ar ddiwedd Oes yr Iâ feirioli a methu dal y llwyth o gerrig oedd wedi eu cludo ganddo yno a'u dympio nhw yn ddigon diseremoni. Ac yno y maen nhw o hyd, yn llawer rhy fawr i'w symud. Ond ddim un o'r rheini ydy ein carreg ni. Mae hon wedi ei gosod yno rywbryd yn y gorffennol pell gan rywun; fyddai rhewlif byth wedi ei gosod hi mor gelfydd. Dw i'n siŵr ei bod hi wedi bod yn sefyll yn syth ar un adeg, ond fod treigl amser wedi achosi iddi ogwyddo yn raddol ac mae hi fel bys hir tenau yn pwyntio i rywle yn yr awyr. Mae rhai yn dweud mai cofeb i ryw bendefig neu'i gilydd ydy hi, ac eraill yn meddwl mai nodi lleoliad i addoli mae'r garreg a bod y lle yn fangre arbennig iawn i'r bobol a'i rhoddodd hi yno. Y cwbwl wn i ydy, mae'n rhaid eu bod nhw'n rêl giamstars ar symud stwff mawr trwm a rhaid bod rhywbeth arbennig am y lle i gludo'r fath lwmp yno.

Beth sy'n od amdani hefyd ydy bod yna bwll bach o ddŵr wrth ei throed hi, hyd yn oed pan mae'r tywydd wedi bod yn sych fel sach ers wythnosau. Dydy defaid yn y cae ddim yn mynd i yfed yno chwaith, hyd yn oed os ydy eu tafodau nhw'n hongian ar sychder mawr. Mae gan y garreg sgert o laswellt hefyd, sy'n tyfu dipyn yn uwch na gweddill y cae; yn rhannol achos bod y pridd yn gymharol laith rhyw ychydig o fodfeddi ohoni ond hefyd am nad ydy'r defaid fel petaen nhw am fentro'n rhy agos i bori. Mi holais i Taid, oedd yn byw efo Nain ar y fferm ar y pryd, am y peth. 'Ofn i'r garreg ddisgyn ar eu pennau nhw,' oedd ei ateb. Wyddwn i ddim oedd o'n tynnu fy nghoes ai peidio, ond roedd yr ateb yn ddigon i fachgen wyth oed. Holais i ddim mwy. Carreg oedd carreg oedd carreg i Taid, a thipyn bach o niwsans wrth dorri gwair a gorfod mynd o'i chwmpas hi.

Roedd Nain, ar y llaw arall, dipyn yn fwy amwys ei hagwedd tuag at y garreg ac yn hapus i arddel ei hagweddau mwy lledrithiol. Os byddwn i a fy chwaer yn blant drwg, heb glirio'n platiau neu'n gyndyn i fynd i'r gwely pan fydden ni yno'n aros ar adegau, 'mi fydda i'n dweud wrth Meinir' fyddai'i bygythiad hi a phwyntio at y garreg yn y cae. Roedden ni'n dueddol o ufuddhau wedyn. Dw i'n cofio gorwedd yn fy ngwely yn edrych allan o'r ffenest ar y garreg hynafol oedd fel hen wrach o athrawes yn pwyntio ei bys o'r dyfnderoedd, ac ystyried tybed a oedd Meinir yn gwrando ai peidio.

'Nain,' medde fi un diwrnod, 'ydy Meinir yno go iawn, ne jest chi sy'n dweud?'

Tynnodd hi fi a fy chwaer fach yn agosach ati a sibrwd: 'Os ewch chi allan yn ddistaw bach, pan does yna fawr o wynt, a rhoi eich clust ar y garreg, os ydych chi'n lwcus fe glywch chi.'

'Clywed be, Nain?'

'Mae pobol yn clywed pethau gwahanol a rhai eraill yn clywed dim byd,' meddai hi yn amwys iawn. 'Dim ond bobol sbesial sy'n clywed,' ychwanegodd.

'Pwy ydy Meinir?' holais i wedyn.

'Un o'r hen bobol,' atebodd hi.

'Pa hen bobol?' holais i eto, yn benderfynol o gael ateb llai annelwig.

'Yr hen bobol roddodd y garreg yno yn y lle cynta,' meddai hi. 'Roedd rhyw reswm ganddyn nhw i roi'r garreg yn y fan yna. Efallai bod nhw'n gwybod rhywbeth dydyn ni ddim yn ei wybod,' ychwanegodd hi fel petai'n rhannu rhyw gyfrinach ddirgel.

'Pa bethau?' mynnais i.

'Wyddon ni ddim be dydyn ni ddim yn wybod,' meddai hi â'r olwg ddoeth yna ar ei hwyneb wrth edrych trwy'r ffenest i gyfeiriad y garreg.

'Nain, wir!' medde fi yn anghrediniol.

'Be?' meddai hi yn ddiniwed a chodi ei hysg-wyddau.

Roeddwn i ar y pryd wedi cyrraedd drwg-dybiaeth wyth oed ac yn credu mai stori i'n cael ni i'n gwelyau'n ddidrafferth oedd y cyfan, ond roedd Elin fy chwaer yn gegrwth.

Drannoeth, a hithau'n ddiwrnod braf di-wynt, aeth fy chwaer a fi am dro i weld, neu'n hytrach i glywed ai gwir oedd geiriau Nain. Doedd Elin ddim yn rhy hapus am y syniad, ond yn fy noethineb mynnais i ei thywys at y garreg i brofi mai cellwair yr oedd yr hen fenyw. Dw i'n siŵr fod Nain yn edrych trwy'r ffenest arnon ni'n mynd ac yn gwenu. Rhoddodd y ddau ohonon ni ein clustiau yn erbyn y graig.

'Wyt ti'n clywed rhywbeth?' holodd Elin.

'Na,' medde fi.

'Dw i'n clywed,' meddai Elin.

'Clywed be?'

'Wisht, wisht, wisht,' meddai hi wedyn, yn dynwared y sŵn yr honnai ei glywed.

'Ti'n siŵr?' holais i a rhoi fy nghlust yn ôl ar y garreg, a chlywed dim byd eto, er i mi deimlo rhyw gryndod bychan yn fy mysedd wrth roi fy llaw arni;

ond efallai mai dychymyg oedd hynny.

'Hwyrach 'mod i'n un o'r bobol sbesial sy'n medru clywed Meinir,' meddai Elin yn fuddugoliaethus.

'Hy!' medde fi a cherdded yn ôl i'r tŷ.

Dro arall, dw i'n cofio yn iawn, roedd gen i ryw hen ddafad, ddim un o'r rheini sy'n pori mewn cae ond un ar gefn fy llaw oedd wedi dod yn dipyn o boendod ers dros flwyddyn; ddim ei bod hi'n brifo ond roedd hi'n niwsans noeth pan oeddwn i'n rhoi fy llaw yn fy mhoced.

'Rhwbia hi ar Garreg Meinir,' meddai Nain, 'ac mi eith mewn chwinciad i ti.'

Doedd waeth i mi drio, felly mi wnes, a rhwbio'r ddafad yn y garreg yn ôl cyngor Nain, a wir i chi, erbyn y diwrnod wedyn roedd hi wedi crebachu rhyw fymryn. O fewn wythnos roedd hi wedi mynd.

'Ddwedes i, on'd do?' meddai Nain.

Doedd Taid a Nain ddim yn mynd yn ifancach ac aeth cadw'r fferm yn drech na nhw yn y diwedd ac fe symudon nhw i dŷ yn y pentref. Daeth tro ar fyd i ni fel teulu ac fe symudon ni i'r fferm. Roeddwn i'n rhyw ddeuddeg oed ar y pryd, a'r cyfan yn antur fawr. Arhosodd Dad yn ei waith fel athro ond rhoddodd Mam y gorau i'w gwaith yn y llyfrgell i fynd ati i ffermio go iawn. Gallai Dad helpu fin nos a phan oedd hi'n wyliau ysgol. Roedd symud o dŷ eithaf moethus gyda'r mod cons i gyd i dŷ fferm lle'r oedd bywyd yn llawer mwy amrwd yn dipyn o sioc.

Y broblem fwyaf oedd dŵr, neu ddiffyg dŵr ar rai adegau o'r flwyddyn pan oedd y ffynnon oedd yn

bwydo'r tanc yn y tŷ yn mynd yn hesb. Gan ein bod ni
bellteroedd o unrhyw gyflenwad allanol, doedd dim
amdani ond dod o hyd i ffynhonnell arall o ddŵr. A
dyna a wnaed. Dw i'n cofio'r dyn yn dod, y dewin
dŵr, i ddarganfod ble'r oedd y llecyn gorau i leoli
ffynnon newydd. Roeddwn i wedi fy swyno ganddo,
a dw i'n cofio ei ddilyn gam wrth gam fel y cerddai'r
caeau uwchben y tŷ gyda'r ddwy wifren gopr gam,
ar siâp L, un ym mhob llaw yn sticio allan o'i flaen
yn aros iddyn nhw groesi i ddangos bod dŵr islaw.
Byddai Elin yn dod gyda fi weithiau.

'Ydy pawb yn medru gwneud hyn?' holais i. Dw
i'n siŵr 'mod i'n dipyn o boendod iddo fo.

'Na,' meddai'r dyn a dal ati i gerdded.

'Pam?' holais i wedyn.

'Achos mai dim ond bobol sbesial sy'n gallu
gwneud hyn,' atebodd.

'Mi fasech chi'n medru clywed Meinir felly,'
meddai Elin.

Edrychodd y dyn arni'n hurt a pharhau â'i waith.
Daeth o hyd i un lleoliad addawol a phlannu ffon yn
y ddaear i nodi'r fan, oedd yn eitha cyfleus i'r tŷ, a
daliodd ati i gerdded yn ôl a blaen a ninnau y tu ôl
iddo.

Pan aeth yn agos at Garreg Meinir, dechreuodd y
ffyn grynu a chwyrlïodd y ddwy ffon yn ffyrnig at ei
gilydd o'i flaen. Roedd syndod yn ei wyneb. Camodd
yn ôl ac agorodd y ffyn eto. Ymlaen eto a digwyddodd
yr un peth. Camodd ymlaen unwaith eto tan oedden
ni'n union dan fys y garreg. Gollyngodd y dyn ei

ffyn yn sydyn ac ysgwyd ei ddwylo'n chwyrn fel petaen nhw'n boeth. Agorodd ei ddwylo a'u dangos i ni ac roedd ôl streipen o losg ar gledr y ddwy law yn glir ac roedd y sioc yn amlwg yn ei lygaid. 'Dyna ni,' meddai'n sydyn. Cododd y ddwy wifren yn ofalus rhag ofn eu bod nhw'n dal yn boeth a cherdded i gyfeiriad y tŷ, a gadael Elin a fi'n edrych ar ein gilydd.

Yn ei adroddiad i Mam a Dad, cynigiodd ddwy safle i agor ffynnon newydd; un uwchlaw'r tŷ, lle roedd y marc, a'r llall ger y garreg, ond roedd yn argymell yn gryf na ddylid cloddio yno er mai dyna lle'r oedd yr arwyddion gorau am ddŵr. Ni roddodd reswm am y cyngor. Roedd Dad serch hynny yn bendant mai wrth y garreg y dylid cloddio.

Roedd cloddio yn golygu dod â dril eitha mawr i'r safle. 'Chwilio am oel ydach chi?' meddai un hen ffarmwr yn grafog pan alwodd heibio un diwrnod.

Roedd y peiriant dan ofal dau Sgotyn. Yorkie oedd llysenw un gan ei fod yn dod o'r Orkneys a Tam oedd enw neu lysenw'r llall, wyddwn i ddim yn iawn. Roedd wynebau ysgithrog gan y ddau a'u moesau a'u hiaith yn ddigon amrwd, yn ôl Mam. Cafodd y ddau groeso cynnes gan dafarnwr y Llwynog, lle'r oedden nhw'n aros tra parhâi'r gwaith, gan fod y ddau yn cyfrannu'n helaeth i'w goffrau wrth dorri eu syched. Siarsiodd Mam ni i gadw draw oddi wrthyn nhw gymaint â phosib tra oedden nhw'n gweithio a doedd fawr o groeso ganddyn nhw i blant beth bynnag. Yr argraff ges i oedd eu bod nhw'n greaduriaid blin gythreulig.

Ar y trydydd diwrnod roedden nhw wedi bod wrth eu gwaith yng nghysgod yr hen garreg y digwyddodd o. Roedd y dril, o beth welwn i, wedi mynd i lawr yn go ddwfn. Roeddwn i ar fy ffordd i gymryd paned iddyn nhw ganol bore. Roedd sŵn rhythmig y dril yn dyrnu a throi yn atseinio ar draws y cwm, ac roeddwn i'n cerdded dros y borfa tuag atyn nhw pan ddaeth y glec anferth yma gyda mellten yn codi i ben y dril ac yn esgyn i'r awyr. Wedyn daeth chwistrelliad o dân o'r twll roedden nhw wedi ei wneud a thaflwyd un Sgotyn ar ei gefn i'r llawr. Roedd y llall fel petai'n sownd i'r peiriant yn methu gollwng ei afael. Daeth sgrech erchyll o'i safn.

Mor sydyn ag y dechreuodd daeth tawelwch i faes y gyflafan. Gollyngais y cwpanau a rhedeg tuag atyn nhw. Roedd y dril a'r injan a'i gyrrai yn fud. Cwympodd Yorkie i'r llawr a'i ddillad yn dal i fudlosgi. Roedd ei wyneb a'i frest yn swigod coch i gyd a'i lygaid yn dangos arswyd llwyr. Roedd Mam wedi clywed y glec a rhedodd hi o'r tŷ aton ni.

Roedd yr ambiwlans yno mewn hanner awr. Aethpwyd â Yorkie i'r ysbyty yn griddfan. Roedd hi'n syndod i bawb ei fod o'n fyw o gwbwl. Roedd Tam yn holliach ond ei fod wedi cael ysgytwad go lew ac yn crynu fel deilen; effaith sioc, meddai'r parafeddyg, a daeth ambiwlans arall i'w gyrchu yntau. Welon ni'r un o'r ddau wedyn.

Daeth criw newydd o fois i drwsio'r dril y diwrnod wedyn. Roedd peth wmbreth o waith atgyweirio i'w wneud. Bu tipyn o grafu pen am achos y ddamwain a neb yn gallu cynnig ateb. Penderfynwyd parhau â'r gwaith er gwaetha'r ddamwain ond ystyrid mai doeth fyddai mynd i chwilio yn y lleoliad arall y tro hwn, a do, fe gawson ni ddŵr yn y diwedd.

Y diwrnod wedyn roeddwn i'n adrodd yr hanes i gyd wrth Nain.

'Eitha gwaith, eitha gwaith,' meddai hi. 'Roedd yr hen bobol yn gwybod, yn gwybod yn iawn, o oedden.'

Soniodd hi ddim byd am Meinir.

GARETH W. WILLIAMS

Gog o'r Rhyl wedi troi'n Hwntw yng
Nghaerffili ydw i. Gweithiais ym myd
addysg ac ym myd cyhoeddi llyfrau
addysg cyn ymddeol.

Mae gen i bellach bump o nofelau i fy
enw, gan gynnwys y gyfres dditectif am
Arthur Goss a thrafferthion y Berig
sy'n bentref dychmygus
rhywle tua bae Ceredigion.

Fy nofel ddiwethaf oedd
Promenâd y Gwenoliaid sy wedi ei lleoli
ym mro ac amser fy mebyd.

Mae'r gyfrol hon, *A: annisgwyl*, yn dra
gwahanol er bod y straeon wedi eu seilio
ar elfennau o fy realiti i gan mwyaf.

Un arall o lyfrau'r

bwthyn
GWASG Y BWTHYN